MISHA

Primera edición: Octubre 2004

ISBN: 84-9338831-9
Printed in Spain - Impreso en España.
Romanyà-Valls-Capellades, Barcelona.
Depósito legal: B-41.206-2004

Jerry Spinelli

Traducción: Alberto Jiménez Rioja

MISHA

entre libros

Barcelona

Recordados:

Bill Bryzgornia
y
Masha Bruskina

Agradecimientos:

Muchas gracias a quienes me ayudaron a escribir este libro:
Eileen Nechas, Patty Beaumont, Susan Cherner,
Charmaine Leibold, Laurie Baty, Ariel Gold,
Hildegard Veigel, Kathye Petrie, Eva Mercik,
Dr. Sverin Hockberg, Rabbi Cynthia Kravitz,
Rahel Lerner, Chava Boylan, Jack Waintraub,
Marek Web, Peter Black, mi editor, Joan Slaterry,
y mi esposa Eileen.

El contrabando se realizaba a través de agujeros y grietas en las paredes… y a través de cualquier lugar escondido con el que los ojos de los conquistadores extranjeros no estuvieran familiarizados.

—26 de Febrero de 1941
Scroll of Agony:
The Warsaw Diary of
Chaim A. Kaplan

MISHA

1

MEMORIA   ¿RECUERDOS?

Corro.

Es lo primero que recuerdo. Correr. Llevo algo, algo que rodeo con el brazo y que aprieto contra mi pecho. Pan, naturalmente. Alguien me persigue:

—¡Al ladrón!

Corro. Gente. Hombros. Zapatos.

—¡Al ladrón!

A veces es un sueño. A veces es un recuerdo en medio del día mientras le doy vueltas al té helado o espero que la sopa se caliente. Nunca veo quién me persigue y me grita. Nunca me detengo lo suficiente como para comer el pan. Cuando me despierto del sueño o del recuerdo, siento hormigueo en las piernas.

2

VERANO

Tiraba de mí, corriendo, era mucho más grande que yo. Mis pies iban arrastrándose por el suelo. Las sirenas aullaban. Tenía el pelo rojo. Huíamos por calles y callejones. Oíamos ruidos sordos como truenos lejanos. La gente con la que nos tropezábamos no parecía darse cuenta de nuestra existencia. Las sirenas chillaban como niños. Por último nos zambullimos en un oscuro agujero.

—Tienes suerte —dijo—. Pronto no serán señoras las que te persigan, serán Botas.

—¿Botas? —respondí.

—Ya lo verás.

Me pregunté quiénes eran. ¿Había botas sin pies corriendo por las calles?

—De acuerdo —dijo—, dámelo.

—¿Que te dé qué? —respondí.

Rebuscó en mi camisa y sacó la hogaza de pan. La partió en dos, me tiró una de las mitades y se puso a comer la otra.

—Tienes suerte de que no te matara —dijo—. Me estaba preparando para robar a la señora a la que le quitaste esto.

—Tengo suerte —dije.

Eructó y respondió:

—Eres rápido. Se la quitaste antes incluso de que yo supiera lo que ocurría. Ésa era una ricacha. ¿Viste cómo vestía? Se limitará a comprar otras diez.

Me comí mi pan. Más ruidos sordos en la distancia:

—¿Qué es eso? —pregunté.

—La artillería de los Botas —respondió.

—¿Qué es la artillería?

—Grandes cañones. Bum, bum. Bombardean la ciudad —respondió. Se me quedó mirando y añadió:

—¿Tú quién eres?

No entendí la pregunta.

—Yo me llamo Uri —respondió—. ¿Cómo te llamas tú?

Le dije mi nombre:

—¡Aladrón!

3

Me llevó a que conociera a los demás. Estaban en un establo. También había caballos. Lo normal es que estuvieran en las calles, pero se habían quedado en casa porque los Botas estaban haciendo bum bum a la ciudad y era demasiado peligroso para los caballos. Nos sentamos en uno de los compartimentos cerca de las patas de un caballo gris de expresión triste. El caballo hizo caca. Dos de los chicos se levantaron y se trasladaron al siguiente compartimento, junto a otro caballo. Un momento más tarde oímos el sonido de líquido que caía sobre la paja. Los dos que acababan de marcharse volvieron. Uno de ellos dijo:

—Prefiero la caca.

—¿Dónde lo encontraste? —dijo un chico que fumaba un cigarrillo.

—Cerca del río —respondió Uri—. Le quitó una hogaza a una ricacha que salía de Panes para Todos.

—¿Por qué no se la quitaste tú a él? —dijo otro que estaba fumándose un puro tan largo como su cara.

Uri me miró y respondió:

—No lo sé.

—Es un canijo —dijo alguien—. ¡Pero miradle!

—¡Levántate! —ordenó otro.

Miré a Uri. Uri levantó el dedo. Yo me puse de pie.

—Vete allí —dijo alguien.

Sentí un pie en mi trasero, un pie que me empujaba hacia el caballo.

—Fijaos —dijo el fumador de puros—, ni siquiera llega a la mitad de la pata del caballo.

Una voz detrás de mí cloqueó:

—¡El caballo podría proporcionarle un sombrero nuevo!

Todo el mundo, Uri incluido, aulló de risa. Al otro lado de los muros continuaban las explosiones.

Los chicos que no fumaban, comían. En un rincón del establo había una pila de comida tan alta como yo. En la pila había pan de todas las formas, salchichas de todos los tamaños y colores, frutas y dulces. Pero sólo una parte era verdaderamente comida, porque todo tipo de cosas brillaban aquí y allá. Vi relojes, peines, barras de labios y gafas. Vi el flaco rostro de un zorro que me contemplaba.

—¿Cómo se llama? —preguntó alguien.

Uri me hizo una señal y dijo:

—Diles cómo te llamas.

—¡Aladrón! —respondí.

Alguien graznó:

—¡Pero si habla!

El humo escapó de las bocas de los chicos que reían.

Uno de los chicos, que llevaba un cigarrillo detrás de cada oreja, no se rió y dijo:

—Creo que es memo.

Otro se levantó y se acercó a mí. Se inclinó, olfateó, se tapó la nariz y afirmó:

—Huele.

Me echó humo a la cara.

—¡Mirad! —gritó alguien—, ni siquiera el humo puede soportarlo. ¡Se está poniendo verde! —se rieron más.

El que me había echado el humo retrocedió y dijo:

—Así que, ¡Aladrón!, ¿eres un soplón asqueroso?

Yo no sabía que decir.

—Es idiota —dijo el chico que no se reía—. Nos va a meter en problemas.

—Es rápido —dijo Uri—. Y es pequeño.

—Es un golfo.

—Ser un golfo está bien —dijo Uri.

—¿Eres judío? —me dijo el chico en la cara.

—No lo sé —respondí.

Me dio una patada en un pie y añadió:

—¿Cómo puedes no saberlo? ¡O eres judío o no lo eres!

Me encogí de hombros.

—Ya os lo he dicho, es idiota —dijo el chico serio.

—Es joven —dijo Uri—. Sólo es un niñito.

—¿Cuántos años tienes? —dijo el que echaba humo.

—No lo sé —respondí.

El que echaba humo levantó las manos y preguntó:

—¿Hay *algo* que sepas?

—Es idiota.

—Es un judío idiota.

—Es un judío idiota que *huele*.

—¡Un judío idiota que huele... y es *enanín*!

Más risas. Cada vez que se reían se tiraban comida unos a otros o al caballo.

El que echaba humo me apretó la nariz con un dedo y preguntó:

—¿Puedes hacer esto?

Se inclinó hacia atrás hasta que estuvo mirando al techo y aspiró el cigarrillo hasta que sus mejillas, e incluso sus ojos, se hincharon. Su cara parecía un globo. Hacía muecas. Yo estaba seguro de que iba a destruirme con su cara de humo, pero no lo hizo. Se volvió hacia el caballo, le levantó la cola, y dejó salir un chorro de humo plateado hacia el trasero del caballo. El animal relinchó suavemente.

Todo el mundo aulló de risa. Incluso el serio, incluso yo.

El retumbar lejano era como el latido de mi corazón después de correr.

—Debe ser judío —dijo alguien.

—¿Qué es un judío? —pregunté.

—Contéstale al golfo —dijo otro—. Dile qué es un judío.

El chico serio lanzó un montón de paja de un puntapié hacia otro chico que no había hablado hasta el momento, el chico que tenía sólo un brazo:

—Ése es un judío.

Se señaló a sí mismo:

—Esto es un judío.

Señaló a los otros: eso es un judío. Ése es un judío. Eso es un judío.

Señaló al caballo: ése es un judío.

Se dejó caer de rodillas, escarbó en la paja cerca de los excrementos del caballo, encontró algo y me lo tendió. Era un pequeño insecto marrón:

—Esto es un judío. Mira. *¡Mira!*

Me sobresaltó.

—Un judío es un animal. Un judío es un bicho. Un judío es menos que un bicho.

Tiró el insecto al montón de excrementos y añadió:

—Un judío es eso.

Los otros vitorearon y aplaudieron.

—¡Sí! ¡Sí!

—¡Soy caca de caballo!

—¡Soy caca de ganso!

Un chico me señaló y dijo:

—¡Vaya que sí es un judío! ¡Miradle! ¡Es un judío si alguna vez he visto uno!

—Sí, lo parece.

Miré al chico que había hablado. Masticaba una salchicha.

—¿Qué es lo que parezco? —le pregunté.

El chico resopló:

—*Babka* de fresa.

—Todos lo parecemos —dijo otro—. Todos lo parecemos de verdad.

—Habla por ti —dijo el chico serio. Se acercó y se quedó de pie frente a mí. Buscó entre mi ropa y levantó la piedra amarilla que colgaba de mi cuello sujeta por una cuerda:

—¿Qué es esto? —preguntó.

—No lo sé —respondí.

—¿De dónde lo has sacado?

—Siempre lo he tenido.

Soltó la piedra y retrocedió a un brazo de distancia. Se mojó un dedo con saliva, me frotó la mejilla, y dijo:

—Es un gitano.

Hubo exclamaciones de admiración. Los otros se inclinaron hacia adelante, mascando y fumando sus cigarros.

—¿Cómo lo sabes?

—Fíjate en sus ojos. Son muy negros, ¡y su piel! ¡Y eso! —añadió mirando de reojo la piedra amarilla.

El que echaba humo me preguntó:

—Eres un gitano, ¿no?

Me sonaba conocido. Había oído esa palabra antes, cerca de mí, en un cuarto, cerca de una carreta.

Asentí con la cabeza.

—Lleváoslo de aquí —dijo el que masticaba la salchicha—. No necesitamos gitanos. Son sucios.

El que echaba humo, riéndose, exclamó:

—¡Mira quién fue a hablar!

El chico manco abrió la boca por primera vez:

—A quienes más odian después de los judíos es a los gitanos.

—Con una diferencia —dijo otro—. No todo el mundo odia a los gitanos, pero no hay nadie que no nos odie. A nadie odian tanto como a nosotros. Nos odian incluso en *Washingtonamérica*.

—¡Porque hervimos bebés y nos los comemos para el *matzoh*! —gruñó alguien con tono de miedo fingido.

Todo el mundo se rió y se tiró comida.

—¡Nos bebemos la sangre de la gente!

—¡Les sorbemos el cerebro a través de la nariz con una paja!

—¡Hasta los caníbales nos odian!

—¡Hasta los *monos* nos odian!

—¡Hasta las *cucarachas* nos odian!

Las palabras, la risa, el pan y las salchichas volaban por el aire lleno de humo de tabaco, volaban entre las patas del caballo. Las manos se estiraban hacia la pila.

Volaron de un lado para otro brazaletes de oro, tarros de mermelada, pequeños animales pintados y plumas estilográficas. Los flancos del caballo temblaron como si lo espolearan. Una pecera blanca y púrpura me dio en la frente. Volaba la piel de zorro. Después, uno de los chicos se puso a desfilar llevándola sobre los hombros, mientras le daba besos en el hocico.

Y entonces apareció el encargado del establo dando gritos y salimos zumbando; ya fuera, nos dispersamos como cucarachas y yo corrí junto a Uri mientras las explosiones sordas se hacían más y más fuertes, y el cielo se llenaba de nubes marrones y negras.

Corrimos por calles y callejones hasta llegar a la parte trasera de un pequeño edificio de ladrillo. Uri abrió una trampilla de madera y nos metimos de un salto en una bodega fresca y oscura. Uri dejó caer la trampilla sobre nosotros cerrándole el paso a la luz del día y, accionando un interruptor, prendió una bombilla que colgaba desnuda entre las telarañas del techo.

Uri señaló hacia arriba y explicó:

—Es una barbería. El barbero se fue. Lo dejó todo aquí. Mañana te la enseño.

La bodega era un hogar. El suelo estaba cubierto por alfombras, y había una cama, una silla, una radio y una cómoda. Había incluso una fresquera.

—Esta noche duermes en el suelo —dijo—. Mañana te conseguiré una cama.

Las explosiones cesaron, o quizá simplemente es que dejé de oírlas. Comimos pan, mermelada y rodajas de carne salada.

Yo pregunté:

—¿Qué es lo que parezco?

Uri no me miró pero respondió:

—Ya lo oíste. *Babka* de fresa. Come.

4

Cuando desperté a la mañana siguiente, Uri se había ido. Volvió al poco rato arrastrando un colchón. Era pequeño, más o menos la mitad del suyo, pero a mí me bastaba y me sobraba. Me tumbé en él, pero Uri me tiró de los pies y dijo secamente:

—Ahora no.

Me arrastró afuera.

Nos dirigimos al distrito comercial, donde estaban las tiendas grandes. Algunas no eran ahora tan grandes: el bombardeo las había convertido en montones de escombros. Mirando a la calle, vi espacios donde tenía que haber comercios: parecían dientes rotos. Fuimos por detrás, a los callejones donde llegaban los carros y los camiones, donde sacaban los cubos de basura. Los gatos nos vigilaban.

Uri dijo:

—Espera aquí —y desapareció en un laberinto de pozos de ventilación, salidas de incendios y puertas. Cuando volvió, traía un montón de ropa en los brazos.

—Para ti —dijo.

Yo tendí las manos, pero él se retiró:

—No la toques. Sígueme.

Me condujo a un edificio bombardeado, del que no quedaba más que la pared trasera. Trepamos por un montón de escombros, madera astillada y tuberías retorcidas.

—Cuidado con los cristales —advirtió, mientras yo me tambaleaba trepando por cabezas y brazos de maniquís. Llegamos por fin hasta una escalera que parecía colgada del aire. Uri la comprobó y dijo:

—Vale.

Bajamos por los escombros. Siempre que se le ponía a tiro una llave en una tubería la hacía girar. De algunas salía vapor, de otras nada. Nos detuvimos junto a una de la que salió agua.

—Quítate esos andrajos —dijo.

Me quité la ropa. Uri dejó en el suelo los nuevos y se puso a rebuscar en los escombros. Volvió con la pierna de un maniquí y un cepillo. Llenó la pierna de agua y se me acercó.

—No tengo sed —dije.

Uri se limitó a volcar el agua sobre mí y se puso a frotarme con el cepillo.

Al principio fue delicioso. Luego no tanto. Uri me seguía echando encima pierna tras pierna de agua. Después de frotarme las plantas de los pies, volvió de nuevo a mi cara. Gruñía mientras frotaba y yo me retorcía y gimoteaba. Me estaba arrancando la piel a tiras con el cepillo.

—¡Chico! —exclamó. Me secó la cabeza con una camisa. Yo estaba dolorido por el cepillado. Me secó el resto del cuerpo.

Entonces me miró con el ceño fruncido y preguntó:

—¿Alguna vez habías tomado un baño?

Yo me quedé contemplándole de hito en hito y respondí:

—Me parece que no.

Por fin me vistió con una camisa limpia y unos pantalones demasiado grandes. Después trepamos de nuevo por el montón de escombros y llegamos a la acera. Cuando estábamos a mitad de camino de casa, empecé a sentirme estupendamente. Como nuevo. Notaba el aire y el sol en la piel. Uri acercó su nariz a mi cuello y aspiró. Hizo un signo de asentimiento con la cabeza. De vuelta a la bodega comimos galletas de azúcar y ciruelas en almíbar que sacábamos de un frasco. Más tarde me llevó escaleras arriba, a la barbería. Yo nunca había estado en una. Uri tenía razón: el barbero lo había dejado todo allí. Hileras de frascos con líquidos de colores -verdes, rojos y azules- se alineaban en un estante debajo de un gran espejo.

—¿Nunca te has cortado el pelo, verdad? —me preguntó Uri.

—No —respondí.

—Siéntate.

Me subí en la silla roja y acolchada. Uri la hizo girar hasta que me mareé. Apretó una palanca y la silla se elevó. Desplegó un paño grande y me envolvió en él. Sacó un peine y un par de tijeras de un recipiente de cristal y empezó a peinar y a cortar. Pronto mi pelo estuvo tan corto como el de un animal.

—Muy bien —dijo—, ¿cuál quieres?

—¿Cuál qué? —pregunté.

Uri señaló las botellas. Yo no entendía por qué me ofrecía algo de beber después de cortarme el pelo. Pero no discutí. Había aprendido a no rechazar nunca comida ni bebida.

Señalé una que contenía un líquido azul y dije:

—Ésa de ahí.

Para mi sorpresa no me la dio para que bebiera, sino que me echó el líquido sobre la cabeza. Lo extendió con los dedos y luego me peinó. El pelo me quedó húmedo y brillante.

Fuera, la gente iba de acá para allá. Muchos llevaban palas o azadones.

—¿Van a una granja? —pregunté.

—Van a cavar zanjas para detener los tanques —respondió Uri.

—¿Qué es un tanque?

—Ya lo verás.

Los soldados se cruzaban con nosotros al paso o corriendo y hacían sonar silbatos. La gente llevaba sacos grandes, abultados. Parecían pesados porque una persona sólo podía llevar uno sobre los hombros cada vez. Si hubiera utilizado una carretilla, habría podido transportar tres.

—¿Qué hay en esos sacos? —pregunté.

—Arena —respondió Uri.

Pronto supe dónde iban a parar los sacos de arena. Los vi apilados frente a ametralladoras emplazadas en pórticos, en tejados y en los extremos de las calles.

Subimos de un salto al tranvía que traqueteaba sobre las vías. Nos enganchamos a dos ventanillas y posamos los pies en una especie de reborde exterior. El viento soplaba a través de mi nuevo pelo. Los viajeros del tranvía nos miraron frunciendo el ceño:

—¡Bajaos de ahí! ¡Fuera! —dijeron.

—Mira —dijo Uri.

Un chico corría por la acera a la misma velocidad que nosotros. Era el que me había echado humo a la cara. Sus brazos ceñían una lámpara de puro cristal blanco con forma de mujer desnuda. La tulipa se cayó, pero él siguió corriendo, haciendo fintas entre los viandantes. Miré detrás de él y vi que un hombre le perseguía a la carrera, gritando:

—¡Detenedle!

Uri se separó del lateral del tranvía como la hoja de una puerta que se abre. Saludó con la mano y gritó a su vez:

—¡Hola, Kuba!

Kuba levantó la mirada mientras corría y respondió:

—¡Hola, Uri!

En ese momento, alguien le echó la zancadilla y lo derribó. Kuba se desplomó sobre la acera; la mujer desnuda de puro cristal blanco se hizo añicos en el suelo.

—¡Sujetadle! —gritó una voz anónima, y los viandantes se abalanzaron sobre el caído.

—No lo atraparán —dijo Uri.

Con el tranvía traqueteando vías adelante, vi que alguien balanceaba una pierna y asestaba una patada: entonces, como impulsado por un resorte, Kuba se puso en pie de un salto y echó a correr de nuevo por la calle, mientras la gente le lanzaba maldiciones o carcajadas.

Uri meneó lúgubremente la cabeza y murmuró:

—¡Estúpidos, estúpidos, afanan cualquier cosa! ¡Se limitan a agarrar lo que sea!

Me miró mientras el tranvía traqueteaba y vibraba bajo nuestras manos.

—Birla sólo lo que necesites, ¿me oyes?

Diciendo esto me retorció la nariz hasta que se me llenaron los ojos de lágrimas.

—¡Sí! —respondí gritando a pleno pulmón.

Durante el tiempo que había durado la escena de la acera los pasajeros del tranvía se habían olvidado de nosotros, pero ahora volvieron a acordarse. Un hombre que llevaba una pajarita plateada gruñó:

—¡Fuera! ¡Largaos de aquí!

Un muchachito nos sacó la lengua. Y, entonces, una mujer con los hombros cubiertos por una piel de zorro cruzó el pasillo del tranvía, se inclinó por encima de los asientos y dejó caer la ventanilla sobre las manos de Uri. Yo grité, pero Uri no. Los ojos del zorro eran como pequeñas canicas negras. La señora se desplazó para bajar también la ventanilla de mi lado pero se detuvo porque, de repente, empezó un ruido muy fuerte que no era la campana del tranvía. Eran sirenas. Delante de nosotros explotó una tienda, transformada de repente en un volcán de llamas.

La gente gritaba. El tranvía sufrió un estremecimiento y se detuvo. Se quedó vacío en pocos segundos. Hasta el conductor se largó: le vimos correr junto a los demás calle abajo.

Al poco tiempo, las calles se quedaron desiertas; una extraña música llenaba el aire, una cacofonía hecha del aullido de las sirenas y el retumbar de los proyectiles que caían.

Me metí en el tranvía y levanté la ventana que aprisionaba los dedos de Uri. Cayó al suelo y un momento después apareció en la puerta. Levantó las manos en el aire y exclamó alegremente:

—¡Por fin!

Pensé que celebraba la liberación de sus dedos, pero se trataba de otra cosa.

—Siempre quise conducir uno de éstos —dijo acercándose al asiento del conductor. Se sentó en él, contempló los controles, tiró de esto, empujó aquello… el tranvía se puso en movimiento de golpe y allá que nos fuimos vías adelante.

¡Qué carrera! Uri empujaba la palanca de mando de un lado para otro. Aprendió enseguida cómo podía hacerlo ir más rápido, luego más rápido aún y después más rápido todavía: el tranvía gemía y chirriaba mientras nos llevaba a toda velocidad a través de la ciudad desierta. El humo salía de los tejados como si una legión de gigantes se estuviera fumando una caja de puros. Uri me enseñó de dónde tirar para accionar la campana: yo tiré una y otra vez. Su tañido se sumaba al estrépito del bombardeo.

Por fin llegamos a una curva que el tranvía hubiera debido tomar, pero Uri no frenó y el vehículo se salió de los raíles dando un salto. Fue como si lanzáramos una casa contra otras casas: nos metimos como un proyectil en un restaurante, atravesamos un salón repleto de mesas vestidas con manteles rojos y llegamos hasta la cocina con un estrépito que rompía los tímpanos, pero todo estaba vacío. No había nadie que nos gritara: "¡Alto, alto!". Cuando por fin nos detuvimos empotrándonos contra los fogones el parabrisas estaba lleno de salpicaduras de col agria. El tranvía se había quedado ladeado y nosotros colgábamos de nuestros asientos. Uri aullaba como un lobo y, mientras los conductos de las chimeneas se desplomaban sobre nosotros como árboles, yo me reía sin parar y hacía sonar la campana una y otra y otra vez.

5

OTOÑO

Pronto llegaron los aviones, añadiendo sus zumbidos de abejorros a la música. Yo quería verlos, pero Uri no me dejó salir.

—¿Por qué no podemos salir? —pregunté.

—Están tirando bombas —respondió.

Yo pensé: *Esto es lo que hace el enemigo. Vuela por encima de nosotros con su avión. Si te ve abajo, en la calle, saca la mano y te tira una bomba en la cabeza.*

Yo me imaginaba las bombas como bolas negras de hierro del tamaño de una olla de col agria.

Todos los días sonaban las sirenas para avisarnos de que llegaban las bombas. Nosotros nos quedábamos en la bodega y salíamos por la noche. Entonces aprendí la realidad de las bombas: más allá de los tejados, la ciudad ardía. Parecía que el sol se hubiera ocultado.

Así eran los días y las noches.

Algunas noches éramos una ciudad habitada sólo por dos personas. No teníamos que robar nada. Nos limitábamos a entrar en las tiendas vacías de los panaderos, los carniceros y los que vendían abarrotes, y arramblábamos con todo lo que queríamos. Salíamos con ello y nos íbamos a casa. Las farolas callejeras seguían apagadas.

A veces íbamos al establo; allí estaban los otros. Todo el mundo echaba alimentos a la gran pila. Luchábamos entre la comida antes de comérnosla. Nos golpeábamos ciegamente unos a otros con salchichas tan largas como un brazo. Las brasas anaranjadas de los cigarrillos brillaban en la oscuridad.

Ya no estaban los caballos. El encargado ya no nos gritaba: había desaparecido.

Un día las sirenas permanecieron silenciosas.

Uri y yo nos fuimos a casa, a nuestra bodega. Uri dijo:

—Quédate aquí —y salió. Volvió al poco rato y dijo:

—Vámonos.

Metió un queso en su bolsillo, otro en el mío, salimos de la barbería y nos dirigimos a las calles.

Caminábamos rápido. Yo no podía mantener su ritmo, pero Uri me agarró de la mano y empezó a tirar de mí. Había gente por todas partes. Se dirigían al mismo lugar que nosotros. Pasamos junto a los esqueletos de los tranvías, negros y retorcidos. A veces teníamos que salirnos a la calzada, porque los muros de las casas se habían derrumbado y nadie había retirado los escombros de las aceras. Por todas partes se veían pilas de sacos de arena. La gente iba deprisa. Las ametralladoras parecían mantis religiosas. Los aviones volaban sobre nuestras cabezas, pero no nos lanzaron ninguna bomba.

Vi a alguien que corría. Era todo lo que necesitaba. No podía andar si alguien corría. Me solté de Uri. Otros corrían también: ¡una carrera! Yo no sabía dónde estaba la línea de meta, pero estaba decidido a ganar. Muchos me habían gritado: "¡Alto!", pero nunca me había atrapado nadie. Cada vez había más gente en la calle: parecían salir de todas partes. Atravesé la multitud como una flecha, dejando atrás a otros corredores. No me importaba cuántos hubiera, podía ganarles a todos. Me reía a carcajadas mientras corría. Entonces fui consciente de un ruido, aunque lo sentí antes de oírlo. Era como un gruñido profundo y parecía venir de debajo de las calles. Y había otro sonido también, como el redoblar de un gran tambor, de un millar de tambores. Cuanto más corría, más alto sonaba. Ahora la gente se atropellaba, se caían unos encima de otros como si fueran muros bombardeados. Los espacios entre ellos habían desaparecido, pero yo seguía encontrándolos: siempre los encontraba y los atravesaba a toda velocidad. Podía saborear ya la línea de llegada y, repentinamente, me vi libre, me vi fuera de la multitud, sentí que no había otra cosa que espacio en torno a mí, mientras el redoble se hacía ensordecedor.

Grité:

—¡He ganado!

Levanté las manos en señal de victoria. Entonces algo me golpeó en el oído y fue como si la tierra y el redoble me pasaran por encima. Alcé la vista y vi botas, botas, botas, las botas más altas, más negras y más brillantes que jamás había visto, inacabables filas de botas. Durante un instante me vi reflejado, boquiabierto, en una de ellas.

Supe lo que estaba sucediendo. Uri me había hablado de ello a menudo, así que grité a pleno pulmón:

—¡Botaaaas!

Eran magníficas. Había hombres metidos en ellas, pero era como si las botas estuvieran llevando a los hombres. No andaban como anda el calzado ordinario, esas botas. Mientras que una permanecía erguida, en rígida posición de firmes, la otra volaba hacia arriba, tan alto que yo hubiera podido pasar por debajo; entonces volvía de golpe a la tierra y la otra despegaba. Mil pares de esas botas balanceándose hacia arriba como si fueran una, y cayendo después con una sola pisada, como las extremidades de un gigante que tuviera un millar de pies. Las hojas caídas saltaban.

El desfile de los Botas siguió y siguió y siguió. Uri me contó después que la calle del desfile, tan maravillosamente ancha, era más que una calle: por eso la llamaban *bulevar*.

De repente, me vi en el aire. Una mano me había aferrado, me había levantado por encima del pavimento y luego me había dejado de nuevo en el suelo. Un soldado me sonreía desde arriba. Sus botas llegaban a mis hombros, y su uniforme gris tenía adornos y cordones de plata. La visera de su gorra era tan negra y tan brillante como las botas; encima justo de la visera resplandecía un pájaro plateado que a los chicos del establo les hubiera encantado robar.

El soldado volvió a saludarme desde arriba, me revolvió el pelo, me pellizcó la mejilla y dijo:

—Un judío diminuto. Feliz de vernos, ¿verdad?

—No soy judío —respondí mientras levantaba la piedra amarilla que colgaba de mi cuello para que la viera—. Soy un gitano.

Mi respuesta pareció deleitarle enormemente:

—¡Ah, bien, un gitano! ¡Bien! ¡Muy bien!

Dicho esto metió las manos debajo de mis sobacos, me levantó y me depositó de nuevo en la acera, delante de la multitud.

—Que tengas buen día, gitanito —añadió; la sonrisa se borró de su rostro, se puso firme y entrechocó los tacones de sus botas con un *clack*. Me saludó y siguió su camino.

El desfile de los Botas siguió y siguió y siguió. Después de un buen rato, Uri dio conmigo.

—¡Mira! —dije yo—. ¡Los Botas!

Pensé que iba a soltar algún viva, pero no lo hizo. Se quedó detrás de mí con las manos apoyadas en mis hombros. Miré las caras de la multitud. Ninguno vitoreaba, ni siquiera sonreía. Yo estaba muy sorprendido. ¿No les encantaba el espectáculo que tenía lugar ante ellos?

Y, entonces, el gruñido sordo cobró más y más volumen, y empezó a superar el redoble de los Botas. Cuando tronaba yo siempre miraba al cielo, pero este trueno venía de debajo de mis pies. La calle misma temblaba. En ese momento los vi:

—¡Uri! —grité.

—Tanques —respondió él.

Como colosales escarabajos grises de enormes hocicos, los tanques aparecieron rugiendo mientras avanzaban por el bulevar en formación de cuatro en fondo: parecía como si el cielo fuera a desencajarse de sus goznes y me di cuenta de inmediato lo tonto que hubiera sido intentar detenerlos con zanjas y sacos de tierra y ametralladoras. Me tapé los oídos con las manos y vi que una única flor blanca salía volando de la multitud. Golpeó el flanco de hierro de un tanque y cayó deshecha al suelo. Como yo no tenía flores, tiré mi queso.

6

Uri y yo salimos a la mañana siguiente para ver qué había cambiado. Los tanques se habían marchado. Los Botas iban de un lado para otro igual que nosotros: miraban a la gente y hablaban entre sí. Yo no podía dejar de mirarles.

De repente vimos un grupo de gente que corría. Doblamos una esquina. Había un gran camión con la trasera abierta. Los soldados arrojaban hogazas de pan. La gente agarraba las que podía y se esfumaba. Nosotros masticábamos nuestros quesos y mirábamos sin perder detalle. Yo estaba fascinado. No sabía que el pan pudiera regalarse.

Seguimos andando. Llegamos a otro grupo reunido alrededor de algo que había en la acera.

—No —dijo Uri, pero yo le ignoré. Me abrí camino hasta la primera fila. Se trataba de un hombre con un largo abrigo negro, en el suelo, a cuatro patas. Tenía una larga barba gris y, junto a él, había un cubo de agua. El hombre metía la barba en el agua y frotaba la acera con ella. Un par de Botas estaban de pie junto a él, riendo. Algunos espectadores también se reían. El hombre de la barba no.

Volví a buscar a Uri. Le agarré del brazo y dije:

—¡Ven a ver esto! ¡Hay un hombre que está fregando la acera con su barba!

Uri me dio un golpe en la cabeza y exclamó:

—¡De verdad que *eres* idiota!

Y me sacó de allí a empellones.

Un poco más adelante vimos otra cosa que nos hizo detenernos. Dos soldados se erguían frente a otro hombre barbado, vestido también de negro. Uno de los soldados tenía un par de tijeras y cortaba con ellas la barba y el pelo negro trenzado que caía sobre las orejas del hombre.

Corrí hacia los soldados:

—Traedlo a nuestra casa —dije—. Vivimos en una barbería. Podrá sentarse en la silla roja. Tenemos botellas de tónico capilar.

Los soldados me miraron fijamente, mientras Uri me agarraba y les decía unas palabras que no pude entender. Los soldados rieron. Uri me arrastró lejos de allí.

Oímos que los soldados reían tras de nosotros. Yo pensé: *Los hombres que llevan barba y largos abrigos negros no se ríen.*

Horas después estábamos sentados en nuestras camas comiendo *babkas* de chocolate.

Uri dijo:

Mantente alejado de los Botas.

—Sonríen —contesté.

—Te odian.

Yo me eché a reír y respondí.

—¡No me odian! Me dijeron: "Muy bien, gitanito". Me saludaron. Quiero ser un Botas.

Uri me golpeó en la cara. Mi *babka* salió volando:

—No eres un Botas. Jamás serás un Botas. Eres lo que eres.

Recogí mi *babka*. Sin embargo quería aclarar algo:

—A la gente le encantan los tanques —dije—. Corrieron para verlos. No se perdieron detalle.

—Odian los tanques.

—Alguien tiró una flor.

Uri dejó escapar un resoplido y dijo:

—Un cobarde. Si los Botas dicen: "Besad el trasero del tanque", hay gente que les obedecería.

Yo me reí, pensando en el trasero del tanque.

Estábamos ya metidos en la cama esa noche cuando Uri dijo:

—Necesitas un nombre.

—Ya tengo uno —respondí.

—Uno de verdad.

—¿Por qué? —pregunté.

—Tienes que tener uno, eso es todo. Quiero saber cómo llamarte.

—Llámame idiota.

Uri se rió.

—¿No te acuerdas cómo te llamaban tus padres?

—No recuerdo a mis padres.

Nos quedamos en silencio.

Recorrí mi piedra amarilla con un dedo. Recordé una risa explosiva y colores brillantes. El olor de un caballo y el sabor de algo dulce. Ir montado en los hombros de alguien y unos cabellos que brillaban a la luz de las llamas.

Por fin se oyó de nuevo la voz de Uri:

—Yo tenía un hermanito.

—¿Está muerto? —pregunté.

—Sí. Creo que sí. Tiene que estarlo.

—¿Tenía nombre?

—Jozef.

—¿Era tan pequeño como yo?

—Lo era. Pero crecía muy rápido.

—¿Te acuerdas de tus padres?

—Sí. Pero cada vez menos.

Yo pregunté en la oscuridad:

—¿Recuerdas ir subido a unos hombros? —no hubo respuesta.

Cerré los ojos y pensé una y otra vez en las palabras de Uri: *Eres lo que eres.*

¿Que es qué?, me pregunté.

En mi mente vi al hombre de negro fregando la acera con la barba. Y vi también al otro hombre y a los soldados que se reían mientras las tijeras hacían *chac chac* y los cabellos caían a la acera, los negros cabellos que caían...

Abrí los ojos de repente, aunque en la oscuridad no había nada que ver:

—¡Eran judíos! —farfullé.

Uri resopló y dijo:

—¿Quién dice que seas idiota?

7

Aquellos fueron los buenos tiempos.

Nuestra fresquera y los anaqueles de nuestro sótano estaban llenos de comida. Comíamos melocotones al coñac, mantequilla de cacahuete y sándwiches de caviar. Comíamos manzanas, galletas danesas de limón, caprichos de queso y trucha ahumada a la madera de pacana. Comíamos golosinas todo el tiempo. Mis favoritas eran los bombones de crema de mantequilla con una avellana dentro. Lo normal es que hubiera sólo uno por caja y a veces ni siquiera eso, y yo no era muy bueno distinguiéndolos al primer golpe de vista, así que abría cientos de bombones buscando los que me gustaban. Me metía a toda velocidad en pastelerías, echando cajas en un saco y saliendo como un rayo acompañado por el coro habitual de: "¡Alto! ¡Al ladrón!". Cuando llegaba a casa buscaba frenéticamente los bombones de crema con avellana y desechaba el resto. Uri me echaba broncas por derrochar comida. Salvo en el caso de las golosinas me obligaba a terminar de comer todo lo que empezaba. En cuanto a Uri, le encantaban los pepinillos. Grandes, gordos, jugosos pepinillos. Flotaban en barriles de salmuera en las tiendas de comestibles. De repente sentía una necesidad irreprimible de comerlos. Entonces decía:

—¡Vamos! ¡Carrera de pepinillos!

Corríamos muchas carreras de pepinillos porque a Uri sólo le gustaban frescos. Si un pepinillo había estado fuera de la salmuera más de un día, ya no le apetecía. Esto significaba que teníamos que ir en busca de nuevas tiendas. Nadie le veía birlar nada nunca pero, después de unas cuantas, el tendero podía a empezar a notar que siempre que aparecía un chico pelirrojo en la tienda los pepinillos menguaban. Cuando nos dirigíamos a una tienda donde vendían pepinillos, Uri no me dejaba afanar nada. Decía que no quería estropear su carrera de pepinillos por alguna de mis fechorías habituales. Pero cuando volvíamos, mientras comía encantado su premio, me permitía hacer lo que me diera la gana.

Uri solía robar las cosas de anaqueles y mostradores. Yo por mi parte, y salvo en lo tocante a los dulces, se las quitaba a la gente. Íbamos paseando juntos, con el jugo de pepinillos que se escurría por la barbilla de Uri cayendo a la acera, cuando yo veía algo y me hacía con ello. Salíamos como demonios, haciendo fintas entre los transeúntes, mientras Uri masticaba fingiendo que no me conocía. De vuelta a casa solía preguntarme:

—¿Cómo *hiciste* eso?

Yo me encogía de hombros y contestaba:

—Simplemente lo hago.

—Eres asombroso —contestaba Uri, y yo me sentía como un bombón de crema con corazón de avellana.

En ocasiones Uri salía solo. Iba de exploración, como él decía, y me ordenaba que no le siguiera.

Sin embargo una vez decidí no obedecerle. Fue poco después de la llegada de los Botas; se me metió en la cabeza ir al Gran Bulevar para ver de nuevo el desfile. Eso es lo que creía entonces: que el desfile no se detenía nunca, que seguía día y noche. ¡Y yo me lo estaba perdiendo!

Salí del sótano y eché a correr, pero cuando llegué al Gran Bulevar no había desfile alguno. Pasaban tranvías y automóviles, gente y más gente, pero nada de desfile. Vi a dos Botas andando por allí, me acerqué hacia ellos y les pregunté:

—¿Dónde está el desfile?

El alto se rió y respondió:

—Llegas cinco días tarde, chico, se ha terminado.

Yo intenté comprender:

—¿Se han ido los tanques?

—No, no se han ido.

—Uri dice que me odiáis —les dije—, pero yo no le creo.

—Bien.

—Algún día quiero ser un Botas.

El alto le dijo algo al otro, pero no entendí las palabras. Se agachó, me pasó los dedos por mi corto pelo y dijo:

—Algún día, morenito. ¿Eres judío?

—No —dije yo—, soy gitano. ¿Tú eres judío?

El soldado sonrió de nuevo y le dijo algo al otro, que se quedó serio.

—Esperemos que no —me dijo por fin y siguieron su camino.

Al poco rato vi a una señora que llevaba hojaldres de crema. No me preguntéis por qué sabía que se trataba de hojaldres de crema: llevaba una caja blanca de pastelería como cualquier otra, atada con cordel blanco, pero yo tengo un sexto sentido para estas cosas. Quizá venga de afanar comida durante más tiempo del que puedo recordar. Me fui acercando a ella por detrás. Se cubría con un abrigo rojo: el aire era gélido. Las costuras de sus medias eran perfectas líneas negras que corrían desde sus talones hasta el borde de su abrigo. Su cabello rubio caía en cascada desde un pequeño sombrerito negro. La caja de los hojaldres se balanceaba de una de sus manos.

No era chillona. No todo el mundo era así. Después de afanarle la caja no oí gritos tras de mí, ni gritos ni pisadas. No iba a perseguirme.

Sin embargo, corrí. Siempre corría. No sabía cómo no correr. Ésa era mi vida: afanaba, corría, comía.

Así que iba corriendo, perseguido por mí mismo se podría decir y, al doblar una esquina, me encontré de golpe por los suelos. Me había tropezado con alguien, con un chico, un chico manco.

—¡Gitano! —gritó.

—¡Mis hojaldres de crema! —grité.

El contenido de la caja se había esparcido por la acera, al igual que las cestitas de cerezas que él llevaba. Se agachó, recogió un hojaldre de crema del suelo y me lo tiró a la cara. Yo le tiré otro. Nos reímos, recogimos la crema a la vainilla de nuestras caras y nos la metimos en la boca. Recogimos crema y sirope de cereza de la acera y lo que no comimos nos lo tiramos el uno al otro; después nos dejamos caer de espaldas y nos reímos. Los viandantes se desviaban para evitarnos.

—¡Bien, bien! —oímos de repente que decía una voz—. ¡Unos ladronzuelos!

Era un Botas que nos miraba desde arriba haciendo muecas, así que salimos zumbando, tan rápidamente como avispas, el Manco por un lado y yo por otro, con la risa del Botas desvaneciéndose en la distancia.

Corrí por callejones. No sabía dónde me encontraba, pero daba igual. Estaba en la ciudad, el único mundo que conocía.

Entonces llegué a un jardín. Algunas personas habían convertido en jardincitos sus patios traseros; ahora no quedaba de ellos más que un amasijo de tallos marrones y hojas caídas, como era el caso de éste, salvo por una pincelada de rojo y verde que se erguía como una llamarada. Era una tomatera, probablemente el último superviviente de la estación. Yo sabía algo de estaciones, pero nada de meses y de años. No me servían para nada. Ahora sé que esto tuvo que suceder el mes de octubre del año 1939. De la planta colgaban muchos tomates verdes, y dos rojos y maduros. Todavía tenía hambre, así que arranqué uno de los rojos, me senté con las piernas cruzadas en el suelo y me lo comí. El jugo se me escurría barbilla abajo como a Uri solía pasarle con el jugo de los pepinillos. Arranqué el otro tomate y, mientras daba buena cuenta de él, volví los ojos hacia la fachada de la casa. Alguien estaba sentado en el escalón y me contemplaba: una niñita.

Nunca comía mientras alguien me miraba, a menos que fuera Uri o alguno de los chicos. Comer venía después de correr. Y, sin embargo, no me moví. Seguí sentado allí zampándome el último tomate rojo de la ciudad mientras la miraba mirarme. Tenía los codos apoyados en las rodillas y la cara entre las manos. Su cabello era rizado y del color de la corteza del pan, los ojos pardos como avellanas. Eran unos ojos muy grandes.

Cuando terminé de comerme el tomate, me levanté y eché a andar. No corrí. Al volver la vista todavía me miraba. Sus ojos redondos e inmóviles me contemplaban de hito en hito y me hacían sentir como si acabara de volverme visible, como si nunca antes me hubieran visto. Cuando ya estaba lejos del patio, seguí mirando hacia atrás.

Cuando le conté a Uri que había encontrado dos tomates maduros y que me los había comido, no me creyó.

El primer día que la luz se apagó, Uri me dijo:

—Vale, éste es quien eres. Tu nombre es Misha Pilsudski.

Y entonces me lo contó todo…

Yo, Misha Pilsudski, había nacido gitano en algún lugar de Rusia. Mi familia, incluyendo dos bisabuelos y una tatarabuela que tenía 109 años, viajaba de pueblo en pueblo en siete carretas tiradas por catorce caballos. Había diecinueve caballos más que seguían a las carretas, porque mi padre era tratante. Mi madre adivinaba el porvenir echando las cartas. Miraba las cartas y era capaz de ver cuándo ibas a morir. Te miraba a los ojos y te decía el nombre de la persona con la que te casarías.

Cada noche las carretas se detenían en una arboleda, a orillas de un arroyo. Los niños teníamos asignadas diferentes tareas, como recoger leña para el fuego y ponerles el pienso a los caballos. Mi favorito era una yegua moteada llamada Greta. Cada noche uno de mis hermanos me aupaba a sus lomos y yo fingía montar.

Tenía siete hermanos y cinco hermanas. Aunque no era el más pequeño sí era el más bajito, y era tan bajito porque en una ocasión un calderero, al que no le había gustado el futuro que le había pronosticado mi madre, me había echado una maldición.

Éramos gitanos, y los gitanos no son de ninguna parte, así que llegamos hasta tierras de Polonia. Mi padre vendió muchos caballos y mi madre adivinó muchos porvenires. Entonces nos bombardeó un avión de los Botas, aunque todavía no había empezado la guerra. Los aviones de los Botas se limitaban a volar de un sitio para otro haciendo prácticas para la guerra. El general de los Botas les había dicho a sus pilotos que podían practicar con judíos y gitanos. Así que cuando el piloto Botas vio nuestras siete carretas llenas de gitanos, inmediatamente nos tiró sus bombas, además de sus anteojos y todo lo que llevaba en sus bolsillos.

Afortunadamente, levantamos la vista en aquel momento y vimos todo lo que se nos venía encima, así que nos dispersamos: siete carretas en siete direcciones. Yo me quedé con mi padre y mi madre. Madre y padre estaban tristes pero yo no, porque Greta, mi caballo favorito, se había quedado con nosotros. Entonces, una noche, acampados en una arboleda, unos cuantos granjeros polacos que odiaban a los gitanos, más incluso de lo que los Botas odiaban a los judíos, vinieron con antorchas, ataron a mi madre y a mi padre y nos robaron a Greta y a mí. Durante mucho tiempo Greta y yo fuimos esclavos de los granjeros, que sólo nos daban nabos y leche de cerda para comer. Una noche Greta consiguió romper su ronzal y huir. Al día siguiente yo huí también. Busqué y busqué a

Greta y a mi familia por toda Polonia. Por fin llegué a la ciudad de Varsovia, donde aprendí a robar comida para no morirme de hambre.

Jamás vi de nuevo a Greta, ni a mis padres ni a mis hermanos y hermanas.

Y así, gracias a Uri, en el sótano de una barbería de algún lugar de Varsovia, Polonia, en el otoño del año 1939 yo nací, podría decirse. Sólo faltaba un detalle. Balanceé mi piedra amarilla delante de la cara de Uri y pregunté:

—¿Y esto qué?

—Sí… era de tu padre. Él te lo dio —respondió Uri mirando la piedra.

Yo era codicioso:

—¿Qué más?

—Antes de que te secuestraran —respondió Uri—. Eso es todo.

Me encantó esa historia. En cuanto la oí, se convirtió en mi historia. Me encantaba yo. Durante los días posteriores, casi no hice otra cosa que mirarme en el espejo de la barbería, fascinado por la cara que me devolvía la mirada.

—Misha Pilsudski… —decía una y otra vez—. Misha Pilsudski… Misha Pilsudski…

Y entonces dejó de ser suficiente mirarme en el espejo y repetirme mi nombre una y otra vez. Necesitaba decírselo a alguien.

8

Volví al patio donde estaban la tomatera y la muchachita de ojos grandes; ella había desaparecido y los tomates también. Incluso los más pequeños y verdes habían desaparecido. Pero había flechas; flechas pintadas en trozos de papel, y los papeles estaba sujetos por ramitas y las ramitas metidas en la tierra.

Seguí las flechas. Conducían a un rincón lejano del jardín.

La última flecha señalaba hacia abajo. Cavé con los dedos hasta que tropecé con algo. Lo saqué de la tierra y lo limpié. Tenía el tamaño de una nuez y estaba envuelto en un fino papel dorado. Retiré el papel y me encontré con una golosina recubierta de chocolate. La abrí: dentro había una cereza. El jugo rojizo cayó al suelo. Me la comí. Me lamí los dedos. No era un bombón de crema con avellana, pero se le aproximaba bastante.

Cuando levanté la vista, la muchachita estaba en el escalón.

—¿Te ha gustado? —preguntó.

—Sí —respondí—. Pero mis favoritos son los bombones de crema con avellanas.

—La planté en la primavera —dijo ella—. Planté una semilla de patata. Se suponía que era una patata. Pero nadie la recogió cuando llegó el momento de recoger las patatas. A todo el mundo se le olvidó.

Extendió los brazos y encogió los hombros para poner de manifiesto que a todo el mundo se le había pasado.

—Así que se convirtió en un bombón. Eso es lo que sucede cuando una patata se queda enterrada demasiado tiempo. ¿Lo sabías?

—No —respondí—. Me llamo Misha Pilsudski. Soy un gitano de las tierras de Rusia... —dije y le tendí mi piedra amarilla—. Mi padre me dio esto antes de que me secuestraran.

Así que le conté mi historia y la de mi familia.

Ella me escuchó con sus grandes ojos fijos en mí y la barbilla entre las manos. Cuando concluí, me dijo:

—No es bonito robar. ¿Qué miras?

—Tus zapatos —respondí. Me encantaba mirarlos. Eran tan oscuros y tan brillantes como sus ojos.

La niña extendió una pierna, hizo girar el tobillo en diferentes direcciones y luego levantó el pie manteniéndolo delante de mi cara.

—Mira —dijo—. Mírate.

Me miré. Ahí estaba yo, tan claro como en el espejo del barbero. Miré… y miré… y entonces ella se echó a reír. Estaba tan concentrado en mirarme que no me había dado cuenta de que había ido bajando lentamente el pie; ahora descansaba en el escalón y yo estaba a cuatro patas contemplándome todavía.

Los dos nos reímos.

Entonces le pregunté:

—¿Eres judía?

Puso boca de pez e inspiró lentamente. Se llevó el dedo a los labios y meneó la cabeza. Me cubrió un oído con sus manos y me susurró:

—Sí. Pero se supone que no se lo tengo que decir a nadie.

Yo respondí:

—¿Tiene que fregar tu padre la acera con la barba?

Ella frunció el ceño y dijo:

—Mi padre no lleva barba.

—¿Cocéis bebés?

—Desde luego que no —respondió—. Qué pregunta más estúpida.

—Soy un chico estúpido —respondí.

Inclinó la cabeza hacia un lado y se me quedó mirando:

—¿Cuántos años tienes?

—No lo sé —contesté. Uri no me lo había dicho.

—Yo tengo seis —dijo ella—, pero mañana cumplo siete. Voy a dar una fiesta de cumpleaños. ¿Quieres venir?

Dije que sí.

Se levantó de un salto del escalón, se acercó y se quedó enfrente de mí. Se puso muy cerca, hasta que nos tocamos.

—Ponte derecho —dijo. Me puse derecho. Miraba la parte trasera de su casa a través de los rizos castaños de la parte superior de su cabeza.

Su mano apareció justo encima de su cabeza, aplastando los rizos, moviéndose hacia delante hasta que tocó la punta de mi nariz. Entonces retrocedió.

—Te llego hasta la nariz —dijo—. Así que debes de tener... —se me quedó mirando mientras pensaba. Con el dedo índice se dobló el labio inferior, dejando a la vista los dientes de abajo, uno de los cuales faltaba—, ... ¡ocho!

Corrió hasta la puerta trasera, se volvió y, señalándome, dijo con una vocecilla como de pájaro:

—No te olvides... la fiesta es mañana.

Y se metió en la casa.

Cuando volví al día siguiente, estaba sentada en el escalón con los brazos en jarras, mirándome con expresión iracunda. Bajo un chal negro de aspecto aterciopelado se veía un vestido rosa que le llegaba hasta las rodillas. Un lazo rojo se sostenía en su cabeza como un sombrerito. Se inclinó hacia mí y vi el lazo rojo reflejándose en sus relucientes zapatos negros.

—Llegas tarde.

—¿Qué es tarde? —respondí.

—Se suponía que la fiesta tenía que empezar, pero les dije que no podíamos hacerlo hasta que tú llegaras. Dos de mis amigos se han ido.

Con un rezongo de enfado, me empujó escalones arriba y me metió en la casa. Entonces gritó:

—¡Aquí está!

Oí pisadas que venían de todas direcciones, algunas corriendo, otras andando. Nos encontrábamos en una habitación donde había una gran mesa, sobre la cual había cosas de comer. Había cuencos de galletas y dulces, pero yo no podía despegar los ojos de la torta que estaba en el centro. Nunca en mi vida había visto una torta tan bonita. Tenía forma rectangular y era un jardín de glaseado. Había flores glaseadas azules, amarillas y verdes y una pequeña casita roja glaseada con humo azul glaseado saliendo de la chimenea, e incluso había un pequeño animal glaseado que parecía más o menos un perro, pero que bien podría haber sido un gato. Cruzando la parte central de la torta se veían unas palabras escritas en glaseado amarillo.

Alrededor de la mesa vi adultos y otras tres muchachitas con vestidos de colores brillantes, que soltaban risitas y me miraban fijamente. Entonces, una de las mujeres empezó a clavar velitas blancas en la torta. Una de ellas atravesó la casita roja. Después, un hombre se inclinó sobre la torta con una cerilla encendida y fue prendiendo las velitas una a una hasta que todas ardieron. Yo estaba horrorizado: ¡iban a quemar el pastel! No había un momento que perder: soplé las velas, agarré el pastel y salí zumbando de la casa a toda velocidad. Los copos de nieve caracolearon por mi cara.

Cuando le conté a Uri lo que había sucedido se rió tan fuerte que se cayó de la cama. Me gustaba mucho que Uri se riera: su pelo rojo parecía brillar. Me contó entonces el asunto de las tortas de cumpleaños y las velitas y yo también me reí.

La carrera había hecho que el bonito pastel se agrietara como una acera bombardeada.

—Parece que nos lo tendremos que comer todo nosotros —dijo Uri. Antes de hacerlo consiguió leer las letras a pesar de las grietas. Me dijo que ponía: "Feliz cumpleaños, Janina". Quité las letras con el dedo y me las comí primero.

Al día siguiente robé la mejor torta que pude encontrar en una pastelería. Esperé hasta que se hizo de noche y la llevé a casa de Janina. La dejé en el escalón de la parte trasera. Saqué las velas de un bolsillo, las coloqué en la torta, las encendí con una cerilla, llamé a la puerta y salí a escape.

Vagabundeé por la ciudad un rato más. No volví a casa hasta después de bien entrada la noche. Se oían gritos. Doblé una esquina. En la noche ardían hogueras. Mi primer pensamiento fue: *Alguien celebra una asombrosa fiesta de cumpleaños*. Pero no eran velas, eran antorchas. Las sostenían unos hombres que estaban enfrente de la misma pastelería donde yo había robado la torta. *Strudels* y pasteles de todas clases bailaban a la luz de las antorchas detrás del escaparate. Alguien pintó una gran estrella amarilla en él.

Un hombre salió por una puerta lateral. Iba calzado sólo con calcetines y se envolvía en un abrigo. Al principio nadie lo vio. Entonces dijo:

—¡Eh! ¿Qué estáis haciendo?

Los hombres de las antorchas y las brochas se volvieron hacia él. Parecía que se alegraban de verle. Se dirigieron hasta donde estaba y le quitaron el abrigo. Uno de ellos le sujetó los brazos desde atrás y otro empezó a pintarle la cara con la pintura amarilla con que había trazado la estrella. El pintor puso buen cuidado en pintar toda la barba del hombre. Después le quitaron la ropa mientras pataleaba y gritaba. Uno de ellos le acercó una antorcha a la cara y el hombre se quedó inmóvil. A la luz de la antorcha sus ojos brillaban tanto como el escaparate de la pastelería.

Los pintores le pintaron todo el cuerpo, de la cabeza a los pies, de blanco y amarillo. Después retrocedieron y levantaron las antorchas para verle mejor. El hombre pintado parecía un payaso muy triste, pero los hombres de las antorchas y de las brochas aullaban de risa. Uno de los pintores extendió una mano y palmoteó el trasero del hombre pintado, arrancando una nueva oleada de risotadas. En ese momento alguien dijo:

—¡Largo! ¡Largo!

El hombre pintado se deslizó de nuevo al interior de la casa.

En ese momento, noté que otros grupos con antorchas subían y bajaban por la calle. Oí ruido de cristales que se rompían. Doblé otra esquina, pero estaba por todas partes: las antorchas, las risas, los cristales que se rompían y los pintores pintando escaparates.

Oí que venía un caballo: ¡*Greta!*, pensé, pero no era una yegua moteada. Alguien montaba el caballo, pero no de la forma habitual. Estaba atado al animal panza abajo y hacia atrás. Su barbilla cubierta de barba oscilaba en la grupa de su montura y la cara entraba y salía de la cola del animal.

Yo pensé: *Me alegro de no ser judío.*

De camino a casa fui mirando las ventanas que quedaban encima de las tiendas, donde vivía la gente. Todo estaba oscuro y silencioso. La gente de la calle tiraba piedras y rompía las ventanas, pero no se veían rostros ni se encendían luces.

La mañana siguiente a primera hora saqué a Uri a rastras para que lo viera. La gente estaba pintando todavía en los escaparates, pero esta vez los pintores eran los barbudos, los propietarios de las tiendas.

Le pregunté a Uri:

—¿Qué dice?

—Dice: "judío".

—Pero ¿no saben que son judíos?

—Quieren que todo el mundo lo sepa.

—¿Por qué?

—Para que nadie entre en sus tiendas y les compre.

Me lo pensé unos momentos y dije:

—Uri, ¿tendrás que pintar "judío" en el escaparate de la barbería?

—No.

—Pero tú eres *judío*.

—En primer lugar, ni siquiera saben que estoy aquí. En segundo lugar, ¿quien ha oído hablar jamás de un judío pelirrojo?

Pensé un poco más.

—¿Y qué pasa conmigo? ¿Tendré que pintar "gitano"?

—No.

—Bien —respondí. Pero en realidad no me habría importado demasiado pintar "gitano" en el escaparate. Pensé incluso que quizá estaría bien pintarme de amarillo y blanco de la cabeza a los pies, especialmente si iban a permitirme que conservara la ropa. Lo que realmente temía era ir atado en un caballo mirando hacia la grupa y con la cara entrando y saliendo en la cola del animal.

Esta vez lo dije en voz alta:

—Me alegro de no ser judío.

Uri respondió:

—No te alegres demasiado.

9

INVIERNO

Llegaron por la noche. Los oí sobre nosotros. Gritos. Risas. Cristales rotos. ¡Las botellas de líquido capilar! Todos aquellos colores tan bonitos.

Uri me sacó de la cama gritando:

—¡El abrigo! ¡El abrigo!

En la oscuridad, a tientas, agarré mi abrigo.

—¡Los zapatos!

Me hice con los zapatos. Uri me llevó a empellones hasta la trampilla que comunicaba el sótano con el patio:

—¡Corre! —dijo cuando estuvimos fuera.

Yo no me moví:

—¡Mis dulces!

Uri me soltó un golpe. Corrimos. Detrás de nosotros, gritos. Disparos. La piedra amarilla balanceándose en mi garganta.

Corrimos durante mucho rato. Nos detuvimos para ponernos los zapatos y seguimos corriendo. Llegamos al pie de los desvencijados muros de una casa bombardeada. Entramos pisando con cuidado los escombros. El cristal relucía a la luz de la luna, la escarcha destellaba en los ladrillos reventados y en las vigas caídas. Uri me dio la mano y nos introdujimos en los escombros.

A tientas encontró un lugar para tumbarnos:

—Está bien —dijo—, duerme.

Me dormí, soñé que estaba de pie bajo el agua. Puede que una cascada o un canalón, que vertía agua en mi cara, en mis ojos. Yo luchaba por respirar. Me desperté. Por encima de mí, en el borde de los escombros, vi un muchacho de pie con libros escolares sujetos al hombro con unas correas. El cielo, sobre él, era muy azul. El chico se reía mientras orinaba en mi cara.

—¡Largo! —gritó Uri y le tiró un ladrillo. El chico desapareció.

Fuimos de allí a otro sitio, y luego a otro. Dormimos en muchos lugares. Todos fríos. A veces me despertaba con nieve en las orejas. Jamás volvimos a dormir en camas, ni a sentarnos en sillas, ni a abrir una fresquera para sacar comida.

Anduvimos por las calles. Uri no dejaba de vigilar ni un momento. A veces me metía rápidamente en un portal o en un oscuro callejón entre edificios. No entrábamos en ninguna tienda que tuviera una estrella en el escaparate.

Cada vez que oía un caballo, yo miraba para ver si era Greta.

Uri tuvo que ir cada vez más lejos para encontrar pepinillos. Seguía afanando latas de carne y de vegetales, tarros de fruta confitada y de cacahuetes. Siempre se llevaba dos de cada; el dulce lo robaba sólo para mí. Cuando yo encontraba un bombón de crema con avellana, casi no podía masticarlo de la risa.

Antes solía haber bolsas de papel marrón por todas partes. Ahora había muchas menos.

Un día, cuando estaba afanando una hogaza de pan, la señora me gritó:

—¡Alto! ¡Sucio judío!

Yo me detuve, me volví y me encaré con ella. Entonces le grité con toda la fuerza de mis pulmones:

—¡No soy un sucio judío! ¡Soy un gitano! ¡Mi nombre es Misha Pilsudski!

La mujer levantó las manos al cielo y, dirigiéndose a los viandantes que estaban en la acera en ese momento, exclamó:

—¡Un gitano apestoso! ¡Detenedle!

Empezó a correr detrás de mí. El hocico pardo de su piel de zorro se levantaba y volvía a caer sobre su hombro.

Nunca me había enfadado tanto con una señora a la que le hubiera robado el pan. Le di la vuelta a la bolsa y dejé caer la hogaza en el suelo; luego salté sobre ella con los dos pies. De una patada la mandé a la cuneta. Riéndome, me volví hacia la señora que me perseguía y le grité:

—¡Sucia tragapanes!

Dicho esto la dejé atrás.

El día siguiente robé cinco hogazas. Cuando las afanaba gritaba mi nombre en la cara de mi víctima:

—¡Misha Pilsudski!

—¡Misha Pilsudski!

—¡Misha Pilsudski!

—¡Misha Pilsudski!

—¡Misha Pilsudski!

—¡Estás mochales! —dijo Uri cuando volví—. Es demasiado. Estás derrochando comida.

Agarró las hogazas y añadió:

—Se las daré a los huérfanos.

—¿Qué son los huérfanos? —respondí.

—Niños sin padre —dijo.

—¿Cómo tú?

—Como yo, como Kuba, como cualquiera de nosotros —explicó Uri.

—Yo no —dije—. Tengo madre y padre, siete hermanos y cinco hermanas.

—Se me había olvidado —respondió Uri—. Tú no.

Llevamos el pan a los huérfanos. Vivían en una gran casa cuadrada de piedra gris. Uri tocó la campana y la puerta se abrió.

Uri dijo:

—Doctor Korczak, le traemos pan para los huérfanos.

El hombre nos miró. Era calvo. El pelo que le quedaba en lo alto de la cabeza parecía haberse caído a la parte inferior de su rostro, porque gastaba un espeso bigote blanco y una perilla como una escoba. Sonrió, hizo un gesto de asentimiento y respondió:

—Gracias.

Intenté ver lo que había en la penumbra detrás de él; quería ver a un huérfano, pero ya cerraba la puerta.

Tuve una idea. Al día siguiente afané dos hogazas de pan; una se la di a Uri y la otra la llevé a casa de Janina. Había nevado por la noche. Del blanco manto que cubría el jardín sobresalían palitroques resecos. Limpié la nieve del escalón superior. Dejé la hogaza en él, llamé a la puerta y corrí.

Al día siguiente volví a mirar. El pan había desaparecido.

Así fue como empezó.

10

A partir de entonces intenté afanar dos hogazas cada día. Reservaba una para Uri y para mí y dejaba la otra en el escalón trasero de la casa de Janina. Una vez levanté la vista y la vi mirándome desde la ventana trasera. Sonreía. Yo sonreí.

Empecé a encontrar cosas en el escalón donde dejaba el pan. Encontré un caramelo blando, un cigarrillo de chocolate y un botón de fantasía. Siempre miraba la ventana, pero Janina no volvió a aparecer.

Un día dejé el pan y recogí un perrito de cristal blanco y negro, no mayor que la uña de mi pulgar. Estaba fascinado. Me alejé andando, mirando el perrito, haciéndolo girar entre mis dedos. Casi había llegado a casa -estábamos viviendo en la parte superior de un establo por aquel entonces- cuando de repente me volví y eché a correr de nuevo hacia la casa de Janina. Se me había ocurrido que iba a llamar a la puerta, que iba hacer que saliera y que iba a decirle una cosa.

Cuando llegué había alguien en el escalón. Un muchacho. Se dio la vuelta y me miró. Se metió la hogaza en su abrigo y echó a correr. Yo corrí detrás de él gritando:

—¡Alto! ¡Al ladrón!

Lo alcancé y lo enganché de su largo abrigo negro, pero siguió corriendo. Me sacaba el hombro y la cabeza. Yo era su cola. Tropecé y lo solté.

Seguí corriendo tras él. Íbamos esquivando a la gente a toda velocidad. Los viandantes no parecían advertirnos. De repente se volvió. Me eché encima de sus puños. Lo siguiente que supe fue que estaba en la cuneta.

Caían agujas de lluvia helada y yo tenía algo duro en la boca. Lo escupí. Era un diente. Busqué en mi bolsillo. El perrito de cristal estaba hecho pedazos.

Cuando llegué a casa, los ojos de Uri se desorbitaron:

—¿Qué te ha sucedido?

Se lo conté.

—Eres demasiado pequeño para luchar —dijo—. Tú no luchas. Tú corres.

Me limpió. Me enjugó la sangre de la cara, de los oídos y del cuello. Cuando me tocaba, la cara me dolía. Siguió murmurando:

—Estúpido... estúpido...

La vez siguiente no fui estúpido. Me acerqué por la noche. No había nadie por las calles. Me pregunté dónde estaba todo el mundo. Las farolas eran como lunas sostenidas por dedos de hierro.

Detrás de la casa de Janina no había luz en absoluto. Pasé mi mano por el escalón. Toqué algo. Me lo metí en el bolsillo. Puse la hogaza en el escalón. Levanté la vista hacia la ventana, pero estaba más oscura aún que la noche. En alguna parte de la casa, Janina dormía. Saludé con la mano a la ventana oscura y vacía, y me fui.

Cuando volví a la calle oí un grito. Me volví. Alguien estaba de pie entre las sombras. Oí un crujido, vi una llamarada, y sentí un golpe a un lado de la cabeza. Levanté la mano: el lóbulo de una de mis orejas había desaparecido. ¡Alguien me estaba disparando! Me zambullí en el pozo de ventilación más cercano y volví a casa atravesando callejones.

Me dolía la oreja. Lloraba. Uri vino a ver que me sucedía. Cuando le conté lo que había ocurrido encendió su encendedor para verlo. Me dio un cachete y me apretó un trozo de tela contra la oreja:

—Estúpido... estúpido.

—No pude encontrar mi lóbulo —le dije.

—Te lo han arrancado de un tiro —dijo.

—¿Quiénes?

—Los Botas, ¿quién crees si no?

—¿Por qué me han disparado los Botas a la oreja?

—Por el toque de queda.

—¿Qué es el toque de queda? —pregunté.

Uri apagó el encendedor. No era más que una voz en la oscuridad:

—El toque de queda significa que los judíos no pueden estar en la calle después de que oscurezca.

—Pero yo no soy un judío.

—Si te disparan, es que eres un judío. Te dije que no salieras por la noche. No escuchas.

Volvió a prender el encendedor, me atizó de nuevo, y lo apagó otra vez.

Era cierto. Me lo había dicho. También era verdad que no escuchaba. Me había escapado a hurtadillas mientras dormía. Para dejar claro que lo entendía me di un cachete yo mismo.

Antes de dormirme recordé mi bolsillo. Saqué lo que había encontrado en el escalón de Janina. Al tacto supe que era un pasador de pelo. Pensé que era rojo, el que había llevado el día de su cumpleaños. Lo puse en una bolsa de pan, donde guardaba todo lo que ella dejaba en el escalón.

Al día siguiente Uri me ató una cuerda a la muñeca:

—Te servirá de lección —dijo. Salimos a reunirnos con los chicos.

Los encontramos en un cementerio. Se rieron cuando me vieron.

—¡Lo lleva con una cuerda!

—¡Guau, guau!

—¡Echadle un hueso!

—Fijaos, se ha estado peleando con otro perro. ¡Y le ha arrancado el lóbulo de la oreja!

—Dejadlo en paz —dijo Uri.

—Dejadme en paz —dije yo—. Tengo siete hermanos y cinco hermanas.

Se rieron más todavía, pero me dejaron en paz.

Estaban Ferdi el que echaba humo, Olek el manco, Enos cara de vinagre y todos los otros, pero ya no había una pila de tesoros, ni puros, ni nadie que tirara comida a los demás. Sí había cigarrillos -Ferdi sacó un puñado del bolsillo- y todo el mundo encendió uno, incluso yo. Era mi primer cigarrillo.

—¡Está fumando! —exclamó Kuba, que era un payaso.

—¡Dejará de crecer!

—¿Cómo podría? ¡Es más pequeño que una cucaracha!

Y entonces Kuba el payaso se lanzó sobre Olek el manco: empezaron a pelearse.

No había comparación entre ellos: Olek era mucho mejor con sus dos piernas que Kuba con los dos brazos. Olek apresaba a Kuba como si fuera un pulpo, mientras Kuba chillaba y se sacudía.

Kuba agarró entonces una pierna de Ferdi y la mordió. Ferdi gritó y, un momento después todo el mundo, menos Uri y Enos cara de vinagre, estaba por el suelo, incluso yo con mi cuerda. Nos reímos y mordimos y luchamos, y supongo que nuestro aspecto era el de una agitada criatura con muchas cabezas, brazos y piernas.

Por fin nos separamos y nos desplomamos en el suelo, exhaustos y muertos de risa. La oreja me sangraba de nuevo y me dolía. Apreté un puñado de hierbas secas sobre ella.

Con la excepción de Kuba, nos sentamos en el suelo, hablamos, nos reímos y fumamos nuestros cigarrillos. Pero no duró mucho, porque la tierra helada estaba aún más fría que el aire. Uno por uno nos levantamos. Nos pusimos a hacer el ganso, a forcejear. Empezamos a darnos con el pecho unos contra otros. Jugamos a dar y a recibir abrazos de oso, decíamos que para ver quién era más fuerte, pero me parece que era para estar cerca. El único calor del cementerio eran nuestros cuerpos.

Unos cuantos nos pusimos después a jugar al escondite entre las lápidas. Yo buscaba y, mientras lo hacía, llegué hasta una lápida de una clase que nunca había visto. En la parte alta de un gran bloque de piedra había una figura humana con alas. Miraba al cielo como si pudiera echar a volar en cualquier momento. Yo no podía apartar los ojos de ella.

—¡Eh, gitano! —dijo una voz—. ¡Venga, estamos escondidos!

Pero yo me quedé allí de pie mirando al gran hombre de piedra con alas. Pronto llegaron los demás.

—¿Quién es? —pregunté.

—Es un ángel —dijo Ferdi.

—¿Qué es un ángel? —dije yo.

Enos cara de vinagre sentenció:

—No hay ángeles.

Le miré. Señalé al hombre con alas y observé:

—¿Y entonces eso qué es?

—Sólo piedra —respondió—. No es real. Es algo en lo que los Botas creen.

—Yo creo —dijo Olek. Se rascó el muñón del brazo y añadió: —Hay ángeles. Lo que pasa es que no puedes verlos.

—¿Por qué no? —dije yo—. ¿Se esconden?

—Son invisibles.

Miré a mi alrededor. Tuve que estar de acuerdo: si estaban allí desde luego que eran invisibles. Por esa razón era especialmente bueno tener una estatua de piedra de uno. Por lo menos podía verlo.

—¿Qué es lo que hacen? —pregunté.

—No hacen cabriolas —dijo Enos.

—Ayudan a la gente —contestó Olek—. Cuando tienes problemas, te ayudan a salir de ellos.

Enos soltó un gruñido y apagó el cigarrillo en el pie del ángel de piedra:

—¿Dónde estaban tus ángeles cuando te caíste en las vías y el tren te arrancó un brazo?

Agarró la manga vacía de Olek, y la hizo oscilar contra la cara de éste.

—¿Dónde estaban entonces? ¿Por qué no te sacaron de las vías? ¿Por qué no detuvieron el tren?

Señaló a un chico llamado Gran Henryk. Sus zapatos eran dos bolsas de monedas, de las que se ven en los bancos.

—Mirad a ése: ¿por qué no le han dado zapatos los ángeles? ¿O inteligencia para quererlos? ¡Y él —añadió señalando con el dedo a Jon, que era delgado y gris y nunca hablaba—, fijaos en él! ¡Se está muriendo y ni siquiera lo sabe!

Ahora gritaba:

—¿Qué hacen tus ángeles por él?

Escupió y escupió al ángel de piedra.

Todo estaba en silencio... hasta que el grito: "¡Judíos!" llegó hasta nosotros rebotando entre las lápidas.

Nos volvimos a mirar. Una carroza negra avanzaba por el sendero. El cansino caballo llevaba una manta negra sobre sus crines. Una fila de gente, de negro y cabizbajos como el caballo, caminaba detrás de la carroza. La carroza era pequeña, un carro más bien. Tenía el tamaño justo para llevar el ataúd.

Un hombre, que agitaba el puño, gritó:

—¡Judíos! ¡Hay golfos judíos ensuciando el cementerio!

Varios de los hombres dejaron la fila y se dirigieron a nosotros gritando. Tiramos nuestros cigarrillos y echamos a correr. Mi cuerda se movía alocadamente golpeando las lápidas. De repente Kuba se detuvo: volvió la espalda a los hombres, dejó caer los pantalones, se agachó y les ofreció una prolongada vista de su trasero. Los hombres que nos perseguían gritaron más fuerte, pero no más fuerte que nuestras risas.

Esa noche, en el establo, sumidos en las tinieblas que olían a paja, le pregunté a Uri:

—¿Tiene razón Enos? ¿No hay ángeles?

No hubo respuesta.

—¿Estás durmiendo?

—Lo intento —respondió Uri—. ¡Qué preguntas más tontas haces! ¿Y yo que sé? Enos tiene razón o no la tiene, lo que te dé la gana. ¿Quieres que esté en lo cierto?

—No —respondí—. Quiero que se equivoque.

—De acuerdo. Se equivoca.

—Quiero creer en los ángeles. Me parece.

—Pues muy bien. Cree.

—Pero Enos dice que los ángeles son para los Botas.

—Y tú eres un *asno*, eso es lo que eres. Un asno tonto.

—Ya no dices que soy estúpido. Ahora soy tonto.

—Lo que más te guste.

—Pero yo no soy un Botas. ¿Cómo puedo creer en los ángeles?

—Cuando no eres nada, eres libre de creer en cualquier cosa. Duérmete, Misha.

Intenté dormirme, pero una pregunta me lo impedía.

—¿Uri?

Uri gruñó:

—¿Qué *quieres* ahora?

—¿Y tú crees en los ángeles?

—Creo en el pan —dijo—. Ahora cállate de una vez o voy a ir ahí.

Me callé.

11

Como respuesta a las palabras de Uri, el pan se convirtió pronto en algo más en lo que creer que en algo que comer.

Un día me acerqué a mis lugares habituales. Las esquinas próximas a las panaderías: ésos eran los mejores. Me puse a esperar. Nadie pasó con una bolsa de pan. De hecho nadie salió de la panadería. Me fui al sitio siguiente. Lo mismo. Durante todo el día estuve yendo de esquina a esquina. Nada. No vi ni una hogaza de pan.

Entonces hice algo que casi nunca hacía: entré en una panadería. Era una panadería que tenía una estrella amarilla pintada en el escaparate. Cuando estuve dentro me quedé estupefacto porque en los estantes que se erguían contra las paredes no había pan en absoluto. Vi únicamente un triste y solitario panecillo redondo. Detrás de la vitrina del mostrador había dos o tres pastelitos.

El panadero vino de la parte trasera y me preguntó con un gruñido:

—¿Quieres comprar algo?

Miré al panecillo -era mejor que nada- pero estaba demasiado alto para mí. Mi agilidad y mi velocidad resultaban inútiles.

Le enseñé mi piedra amarilla y le pregunté:

—¿Cambiamos?

No pensaba dárselo. Sólo quería engañarle para que bajara el panecillo. El panadero se sonrojó violentamente. Señaló la puerta y gritó:

—¡Fuera! ¡Largo de aquí, ladronzuelo!

Intentó agarrarme, pero yo ya me había ido. De vuelta en el establo le dije a Uri:

—Se acabó el pan.

—Aprende a comer pepinillos —respondió.

Lo hice. Aprendí a comer muchas cosas. Si no había comida en las calles, ni bajo los brazos de las señoras con pieles de zorro, iba a las tiendas; si los estantes estaban vacíos, iba a las casas. Siempre había comida en las casas, especialmente en las grandes mansiones elegantes en las que vivían las señoras que llevaban pieles de zorros.

Aprendí a ser paciente. Era difícil encontrar una puerta abierta. Aprendí a buscar niños pequeños que jugaran fuera de una casa grande y elegante. Cuando volvían a entrar, solían olvidarse de cerrar la puerta. Y allá que entraba yo, algunas veces pisándoles los talones. Algunos niños volvían la vista hacia mí y me preguntaban:

—¿Quién eres tú?

—Misha Pilsudski —respondía yo.

Otros no decían nada. Parecían pensar que si yo me metía con ellos en la casa debía tener derecho hacerlo. Me iba directamente al comedor o a la cocina. Lo que pasaba entonces dependía de quién era la gente que vivía en la casa y dónde estaban. Si sólo había niños yo solía decir:

—¿Dónde están las galletas?

o

—¿Dónde están los dulces?

Si había adultos cerca agarraba lo primero que veía y salía zumbando. Si no había nadie o había sólo un niño muy pequeño, me tomaba mi tiempo eligiendo lo que me parecía mejor.

Una vez entré en una casa a través de una puerta trasera sin cerrar. Oí voces y risas. Atravesé la cocina y de repente me encontré de pie bajo una arcada, contemplando una familia que cenaba sentada, ante una larga mesa. La comida, la plata y el cristal centelleaban por todas partes. En el centro había una gran ave asada, de color dorado, quizá un ganso o un pavo. Debí sorprenderlos, porque todo el movimiento se detuvo mientras me miraban de hito en hito y yo miraba a mi vez la mesa. No durante demasiado tiempo, sin embargo; como siempre, fui el primero en moverme. Creo que esa fue la primera regla de la vida que aprendí, aunque era más un temblor de mis músculos que un pensamiento en mi cabeza: hay que ser siempre el primero en moverse. En tanto fuera así, los que tenían que agarrarte no te podían agarrar.

Hablando de agarrar: agarré el volátil por una pata y salí como un rayo por la puerta trasera antes de que se hubieran levantado de sus sitios.

Naturalmente, yo no podía hacer esto más que una sola vez en cada casa, pero en Varsovia había muchas casas grandes y elegantes.

Uri me ataba a su muñeca cuando nos íbamos a dormir, para que no pudiera llevarle comida a Janina por la noche. Durante el día iba a dejarle cosas en el escalón trasero -un frasco de mermelada, una pata de pollo- pero nunca podía estar seguro de que no las robaran.

Cuando el pan empezó a desaparecer, lo mismo sucedió con los árboles. Una mañana, muy temprano, oí ruidos. Sentí como la cuerda de la noche daba un tirón de mi muñeca. Me levanté y me reuní con Uri en la parte más alta del establo. Fuera había hombres metidos hasta la rodilla en la nieve, cortando los árboles.

—¿Por qué cortan los árboles? —pregunté.

—Leña —respondió Uri—. La gente se está quedando sin carbón. Tienen frío.

Siempre que salíamos a buscar comida, oíamos el sonido de hachas y sierras. Y el de los árboles. Algunos caían con un ruido sordo, casi silencioso, sobre el manto de nieve. Algunos parecían gemir. Otros chillaban, protestando. Un árbol grueso y monstruoso, con verrugas, se desplomó emitiendo un gemido alto y agudo que parecía el llanto de un niño.

Pronto los parques no fueron más que hierba seca y tocones.

Un día Uri salió solo y volvió con un saco de carbón.

—Perlas negras —dijo.

Al rato le llevó las perlas negras al doctor Korczak, para calentar a los huérfanos. Al día siguiente yo también fui en busca de perlas negras. Me metí profundamente en los escombros de los edificios derruidos, horadándolos en busca de carbón. Encontraba un trozo aquí otro allí, pero era casi todo polvo de carbón. Cuando finalmente hube llenado el saco me dirigí al orfanato y golpeé la puerta con el llamador de bronce.

Vino abrir la puerta un huérfano. Cuando me vio, abrió la boca de par en par y se le desorbitaron los ojos. Yo farfullé:

—¡No soy huérfano! ¡Tengo siete hermanos y cinco hermanas!

Le alargué el saco, pero él salió corriendo.

Un momento después apareció el doctor Korczak. Le tendí el saco diciendo:

—Perlas negras. Les calentarán.

Su gran mostacho blanco se extendió en varias direcciones y se echó a reír:

Tú —dijo señalándome—, tú eres la perla negra.

Desapareció del umbral y volvió al cabo de un momento con un espejo:

—Mírate.

Un rostro negro como el carbón me devolvió la mirada. Nunca había sabido que mis ojos fueran tan blancos. Me miré todo yo, mis manos, mis ropas. Parecía un trozo de carbón ambulante.

—Soy negro —dije.

El doctor Korczak se rió de nuevo y contestó:

—No por mucho tiempo.

Asió el saco de carbón, me introdujo en la casa, extendió el brazo y me dijo:

—Bienvenido a nuestro maravilloso hogar.

Muy poco tiempo después estaba dentro de algo llamado bañera y una señora arrodillada me cepillaba con un cepillo y un jabón. En la medida en que yo volvía a ser blanco de nuevo y mi piedra recuperaba su color amarillo, el agua de la bañera se volvía tan negra como las botas de los Botas.

En habitaciones lejanas oí risas y el sonido de pies que corrían. Sentí sobre mí las miradas de los huérfanos, pero no vi a nadie. El doctor Korczak me trajo ropa nueva; era la segunda persona en el mundo que lo hacía. Mientras me la ponía, me dijo:

—Así que, saquito de tripas, eres gitano. ¿Estoy en lo cierto?

—Sí —respondí—. Y solía ser estúpido, pero ahora soy tonto.

El doctor se rió. Se rió muchísimo:

—¿Quién te ha dicho eso?

—Uri —respondí—. Uri es mi amigo. ¿Cree usted en los ángeles?

Dejó de reírse y se puso a mirarme fijamente:

—Sí, claro que creo en los ángeles.

—También yo —contesté, decidiéndolo de una vez por todas—. Uri cree en el pan.

El doctor asintió y contestó:

—Sí, yo también creo en el pan.

Seguía sonriendo. Su mostacho parecía duplicar su sonrisa.

—¿Cómo te llamas, hombrecillo?

—Misha Pilsudski —dije orgullosamente.

Sus cejas se elevaron:

—¡Ah, sí! —dijo asintiendo y cerró los ojos.

Ha oído hablar de mí, pensé.

—Misha Pilsudski… —repitió. Parecía estar saboreando mi nombre.

—Dime, Misha Pilsudski, ¿dónde vives?

—En un establo —dije—. Con Uri. Pero los caballos se han ido.

—Y dime, ¿eres huérfano acaso, Misha Pilsudski?

Me gustaba su perilla todavía más que su mostacho. Era tan suave y tan blanca... Quería frotar mi cara en ella. Quería entrar en ella y quedarme a vivir allí y sacar fuera la cabeza de cuando en cuando. Me pareció que el doctor tenía muchas ganas de que yo fuera huérfano, y me fastidió decepcionarlo:

—¡Oh, no! —respondí—. Tengo siete hermanos y cinco hermanas. Y una madre y un padre y una ta-ta-tarabuela de 109 años y una yegua llamada Greta, si alguna vez puedo encontrarla.

Le conté cómo nos habían bombardeado los Botas; le conté toda la historia.

Entonces el doctor Korczak me dejó esperando unos minutos. Cuando volvió, me llevó con él hacia la gran sala delantera; yo estaba asombrado. Allí estaban todos los huérfanos, los chicos y las chicas. Todos quietos y vigilantes en filas que iban de pared a pared.

El doctor Korczak chasqueó los dedos y todos dijeron a la vez:

—¡Gracias, Misha Pilsudski!

Me sentí incómodo; no sabía qué decir. El doctor Korczak me estrechó la mano, me abrió la puerta delantera y me dijo:

—Ven a vernos otra vez.

Yo me alejé vestido con mi ropa nueva.

12

Seguí llevando perlas negras al doctor Korczak y a los huérfanos. En el escalón de Janina dejaba perlas negras y pan siempre que podía. Después de un tiempo sin encontrar regalos para mí, decidí llamar a la puerta trasera. Salió un hombre. Supe que era un Botas incluso aunque llevara calcetines. Su chaqueta gris y plata, desabotonada, mostraba una camiseta manchada y tirantes. En una mano llevaba una jarra de cerveza.

—¿Dónde están Janina y su familia? —pregunté.

Me gruñó algo en su lenguaje de Botas. El aliento le olía a cebollas.

Repetí despacio:

—¡Janina!

El Botas tomó un trago de cerveza y señaló al saco de carbón que llevaba en la mano. Se lo tendí.

—Perlas negras —dije—. Para Janina.

Me arrebató el saco de un tirón y, señalándome, preguntó:

—¿Judío?

Esa palabra la conocía.

—No —respondí—. Soy un gitano.

Inclinó la cabeza hacia un lado, como para oír mejor. Se puso firme y gritó:

—¡Gitano!

Levantó la mano. Pensé: *Va a saludarme.* Pero no lo hizo. Me golpeó en la cara y me volcó la jarra de cerveza en la cabeza.

Le quité por sorpresa el saco de carbón, describí un círculo con él y se lo estampé con todas mis fuerzas en sus pies cubiertos por calcetines. Él aulló. Yo corrí.

Una mañana, después de despertar en nuestro establo, mientras iba camino del lugar donde orinábamos, vi a un hombre en un compartimento cercano. Estaba enrollado sobre sí mismo como una vaina de guisantes seca. Llevaba un largo abrigo negro. Yacía en la paja. Me agaché sobre él. De repente uno de sus ojos se abrió y se me quedó mirando. Se levantó.

—¿Vive usted aquí? —pregunté.

Las pajitas salían de sus cabellos como pelos extra.

—No vivo en ningún sitio —respondió.

—Yo vivo aquí con mi amigo Uri —le dije—. ¿Quiere vivir con nosotros?

Miró a su alrededor como si buscara algo que no podía encontrar. Se encogió de hombros y respondió:

—Tal vez.

—¿Vivió alguna vez en una gran casa? —pregunté.

Pensaba en Janina.

—La casa era grande —respondió—, pero yo sólo ocupaba dos habitaciones.

—¿Con sus hijos?

Me miró de hito en hito y contestó:

—Con mis libros.

Estudié su rostro y le pregunté:

—Usted no es judío, ¿verdad?

Levantó los ojos y se incorporó aún más:

—¿Por qué lo preguntas?

—Porque no lleva usted barba.

Se puso de pie, miró a su alrededor de nuevo y contestó:

—Eso es porque no soy judío. ¿Te dijo alguien que lo preguntaras?

—No.

El hombre repitió:

—No soy judío. ¿Me crees?

—Sí —respondí—. Yo tampoco soy judío. Soy gitano. Me alegro de no ser judío.

El hombre se acercó hasta la ventana más próxima y miró hacia fuera.

—Te alegras, ¿verdad?

—Creo que sí —dije—. Pero a veces no estoy seguro. A los judíos les disparan y tienen que montar caballos puestos del revés y fregar las aceras con las barbas. Yo no tengo barba, pero creo que me gustaría que me pintaran.

Me miró, pero no parecía verme.

—¿Le apetece un poco de *bratwurst*? —le pregunté—. Tenemos *bratwurst*.

Aguardé una respuesta. Por fin hizo un signo afirmativo con la cabeza.

Fui a por el *bratwurst*. Cuando volví, el hombre ya no estaba.

Para andar por las calles, Uri me dio instrucciones estrictas: debía caminar como si supiera a donde iba; debía mantener siempre la vista al frente; no debía reírme, ni gritar, ni bailar, ni hacer nada que atrajera la atención sobre mí.

—Sé invisible —me dijo.

—¿Cómo un ángel? —pregunté yo.

Uri me ignoró. Me dijo que debía aparentar que no tenía nada que esconder. Como si viviera allí.

—Sobre todo —dijo dándome con el dedo en el pecho—, no tengas aspecto culpable.

—¿Qué es aspecto culpable? —pregunté.

—Es tener pinta de estar haciendo algo que se supone que no tienes que hacer.

—Eso es fácil —respondí yo—. No soy culpable.

En ese momento no recordaba cómo había afanado la torta de cumpleaños de Janina.

—Muy bien —respondió Uri—. Lo que tienes que hacer es no parecerlo.

Encontré un trozo de espejo y me miré en él. Me puse a practicar no tener aspecto culpable. Recorrí el establo de arriba abajo, mirando de frente y con cara de no tener nada que esconder. Cuando salimos, en el centro de la ciudad, entre las multitudes de transeúntes, le dije a Uri: "Mira", y crucé la calle sin encomendarme ni a Dios ni al diablo. Mantenía la cabeza alta y miraba de frente. Tenía un aspecto tan no culpable como el menos culpable del mundo y parecía exactamente que sabía dónde iba. En ese momento me atropelló un automóvil.

Fue apenas un golpe. El coche frenó, se detuvo y sólo me golpeó con la fuerza suficiente como para tirarme al suelo. El conductor gritaba, la gente miraba, y lo siguiente que supe fue que Uri me arrastraba por el cuello del abrigo y al mismo tiempo me pateaba el trasero mientras la gente reía.

Pero Uri no se reía en absoluto. Me llevó hasta un callejón y me dejó caer al suelo como si fuera un saco de carbón. Después me escupió en la cara.

—¿No te dije que te ocuparas de ti mismo, estúpido cabeza de chorlito?

Levanté la vista hacia él y asentí con la cabeza. Volvía a ser estúpido.

Nunca le había visto tan enfadado. Su cabello estaba más rojo que nunca, sólo que esta vez no era porque se estuviera riendo. Me pegó un puñetazo en la frente. La parte trasera de mi cabeza golpeó contra el muro.

—Un día voy a tener que matarte para mantenerte con vida.

Entonces hizo un gesto con el brazo hacia la calle y dijo:

—¿Quieres ir a tu aire? ¿Quieres no depender de nadie? ¿Quieres no escucharme? ¡Adelante!

Me pateó de nuevo.

—¡Adelante!

Salió del callejón a grandes zancadas. Cuando llegó a la calle, yo estaba a su lado.

En ese momento pensé que nunca más desobedecería a Uri... pero no me acordaba de los preciosos caballos.

13

La primera vez que los vi fue la primera vez que Uri me llevó al orfanato. Estaban en un parque cercano. No podía dar crédito a mis ojos: caballos describiendo círculos. Pensé que eran reales, pero me di cuenta de inmediato de que no era así. Estaban hechos de madera, los habían pintado, y daban vueltas y vueltas al ritmo de una música estridente, como de feria. Corrí hasta ellos y me quedé allí delante, extasiado. Eran los animales más magníficos que jamás había visto -caballos rojos, caballos azules, caballos de todos los colores- enjaezados en oro y flores, con las cabezas altas y los cascos en el aire como si hicieran piruetas al ritmo de la música. Casi no advertí los niños que se sentaban en sus lomos.

—¿Qué es esto? —le pregunté a Uri.

—Un tiovivo —respondió.

Los caballos seguían dando vueltas y vueltas. Cuando pasaba uno de ellos a mi lado, su gran ojo negro parecía mirarme directamente. Tenían unas cabezas tan altas y orgullosas que por primera vez me di cuenta de lo miserables que eran los auténticos caballos que se arrastraban por las calles. Algunos de los niños daban saltos y gritaban, fingiendo galopar.

Otros tenían un aspecto pensativo; uno lloraba. Los adultos estaban de pie, fuera, vigilando.

Alguien levantó al niño que lloraba del caballo. Me dirigí hacia él, pero Uri me agarró y dijo:

—No.

—¿Por qué? —respondí intentando liberarme.

—No es para ti.

Pensé que bromeaba.

—¡Todo es para mí! —dije riendo. Lo creía.

Uri me sujetó del cuello con una mano y apretó hasta que no pude respirar. Acercó su cara a la mía. Su aliento olía a pepinillos:

—No.

Volvimos la espalda al tiovivo y nos encaminamos al orfanato.

Desde aquel día, me dormía todas las noches con la música del tiovivo en la cabeza. Caballos con rayas doradas daban vueltas en mis sueños. Por la mañana sólo había paja en mis oídos.

Siempre que salíamos juntos intentaba llevar a Uri hacia el tiovivo. En cuanto nos acercábamos, sentía que su mano se deslizaba hacia el cuello de mi abrigo. Estoy seguro de que supo que le había desobedecido un día que salí yo solo. En muchas ocasiones me iba directamente hacia los preciosos caballos; pero no siempre se movían.

—Es por la electricidad —había dicho Uri una vez explicándome por qué nuestra bombilla sólo funcionaba a veces cuando vivíamos como reyes en el sótano de la barbería—. Va y viene.

Así que ver a los caballos moviéndose resultaba un espectáculo más delicioso todavía. Era irresistible. La primera vez que fui solo estaba decidido a montar un caballo pasara lo que pasara. Había casi un palmo de nieve en el suelo, pero yo no sentía el frío. Cada silla dorada estaba ocupada. Me quedé mirándolos dar vueltas y vueltas. Tuve la impresión de que mis ojos eran tan grandes como los de los caballos y mi sonrisa tan amplia como las de todos los niños juntas. Y entonces los caballos empezaron a girar más despacio y se detuvieron, la música se interrumpió, y los que esperaban se apresuraron a levantar a los niños de las sillas. Yo no esperé: salté al tiovivo y me subí a uno de los animales. Era el más precioso de todos los preciosos caballos, y le había echado el ojo desde el principio.

Era tan negro como el polvo de carbón que tenía debajo de las uñas. Tenía borlas doradas detrás de las orejas, y la cola levantada; tres de sus cascos dorados pisaban el suelo, uno se elevaba en el aire. Llevaba alta la cabeza y tenía la boca abierta como si les gritara a todos los caballos del mundo: *¡Miradme!*

Durante unos momentos fui más alto y más grande que nadie.

Entonces un niño empezó a gritar:

—¡No lleva billete!

Un hombre se acercó a mí, extendió la mano y me dijo:

—Dame tu billete.

—¿Qué es un billete? —respondí yo. El hombre me arrancó de un tirón del caballo y me arrojó de cara contra la nieve.

Al momento, una muchachita con pelo dorado y que montaba un caballo cuyas pezuñas quedaban por encima de mí me señaló y gritó:

—¡Es un sucio judío!

Me puse en pie. Todo el mundo me miraba, hasta los zorros que descansaban en los hombros de las señoras. Gritando yo también, le contesté a la niña:

—¡No lo soy!

Y después, gritándoselo a todos, añadí:

—¡Soy un gitano!

—¡Uuuyyyy! —gritó la niña de pelo dorado levantando la nariz y propinándome una patada, todo esto sin dejar de lanzar chillidos. Otros niños tiraron de las manos de las señoras como si fueran perros sujetos con correas. Volvieron sus rostros hacia mí gritándome:

—¡Sucio gitano! ¡Sucio gitano!

Las muchachitas fueron soltándose una por una. Se precipitaron hacia mí, me patearon, y volvieron corriendo con las señoras que se reían; entre tanto, los chicos me bombardeaban con bolas de nieve.

Corrí.

Pero volví al día siguiente, y al otro. Cuando los caballos se movían, yo me quedaba a cierta distancia, mirando, deseando.

Una de las veces que llevé un saco de carbón al orfanato, le dije al doctor Korczak:

—¿Suben los huérfanos al tiovivo?

Lo pregunté porque a veces veía a los huérfanos que jugaban fuera, pero nunca cerca del tiovivo.

Algo triste descendió sobre la cara del doctor Korczak:

—No —dijo—. Tal vez algún día.

Yo levanté la vista hacia su fabulosa perilla blanca y le pregunté:

—¿Por qué? ¿Porque son judíos?

El doctor miró al tiovivo que giraba alegremente detrás de mí; luego miró a los huérfanos que jugaban cerca. Las niñas saltaban a la comba. Entonces me sonrió, con una sonrisa como la que imagino deben mostrar los padres:

—Son *niños* —dijo, como sorprendido. Me miró otra vez y repitió:

—*Niños.*

Había una pregunta en su rostro, pero yo no podía contestarla.

Lo de la electricidad no lo entendía en absoluto. Iba y venía sin avisar. Me maravillaba que sin ella las luces estuvieran apagadas y el tiovivo detenido. Durante dos o tres días los caballos pintados no se movieron. Imaginé que les oía gritar: *¡Dejadnos correr!*

Una noche, en la oscuridad del establo, me despertó el sonido de la música. Con frecuencia oía la música por las noches. Uri me había explicado que esa música estaba únicamente en mi cabeza. Porque el tiovivo distaba dos kilómetros de nosotros y, además, los tiovivos no funcionan por la noche.

Pero esta vez era diferente: la música no estaba en mi cabeza, estaba completamente seguro. Fui a la ventana. El mundo, cubierto de nieve, estaba iluminado por la luna llena: ¿quién necesitaba electricidad? Y en alguna parte sonaba la fanfarria del tiovivo. Uri dormía. Salí a escondidas del establo -Uri había dejado de atarme a él- y entré en el toque de queda.

La música se hacía más y más fuerte según me acercaba al tiovivo. ¡Estaba en lo cierto! Empecé a correr. La nieve hacía que mi avance fuera más lento. Y de repente ¡allí estaba! Lo iluminaban luces que casi no había notado durante el día. La fanfarria era estridente, los caballos daban vueltas y vueltas, las luces resplandecían... ¡y no había nadie! La misteriosa electricidad debía haber llegado por la noche y había despertado al tiovivo.

Me subí al hermoso caballo negro con las borlas doradas y dimos vueltas y vueltas y más vueltas. Fui pasando de caballo en caballo hasta que los hube montado a todos. Los monté hacia delante y hacia atrás. Los monté sentado y de pie. Me parece que no dejé de reírme en ningún momento y, entre la mezcla de mi risa y la música, estoy seguro de que oí los relinchos de los caballos, felices de moverse de nuevo.

Entonces se me ocurrió algo. Dejé de reírme. Miré a la oscura masa del orfanato. Salté del tiovivo. Trastabillé y me caí en la nieve, mareado de las horas que había estado montando en círculos. Corrí al orfanato, golpeé la puerta y grité:

—¡Doctor Korczak! ¡Doctor Korczak!

Dentro se encendieron luces. Sonaron cerraduras. El doctor Korczak me abrió la puerta: el miedo llenaba sus ojos.

—¡Doctor Korczak! —farfullé—. ¡El tiovivo está en marcha! ¡Mire! ¡No hay nadie! ¡Traiga a los niños!

Retrocedí un paso, hice un gesto con la mano, y añadí:

—¡Vamos!

El doctor se adentró en la luz de la luna y me arrastró sin contemplaciones al interior de la casa. Cerró la puerta de golpe, pasó los cerrojos, me sacudió por los hombros y me dijo secamente:

—¡Qué chico más tonto y de más buen corazón!

Cargó conmigo y me llevó escaleras arriba a una cama.

Mientras el sueño me vencía en el orfanato y la luna se ponía, llegaba la mañana y el día era más oscuro que la noche. Cuando desperté, Uri estaba escaleras abajo susurrándole algo al doctor. Las nubecillas de sus alientos se mezclaban. Mientras nos alejábamos del orfanato, me preparé para recibir un golpe de Uri, para que mi cabeza fuera golpeada contra una pared, para ser llamado estúpido. Uri no hizo ni dijo nada. Mientras andábamos por la nieve levanté la vista hacia él. Si sólo me apretara el cuello... si me hiciera llorar... Ni siquiera me miraba. Allí y entonces, perdí mi deseo de montar los preciosos caballos.

Pero no de mirar.

14

Según avanzaba el invierno, los árboles que rodeaban el tiovivo desaparecieron uno por uno, hasta que pronto no quedaron más que los tocones. Y entonces sucedió lo impensable.

Me acercaba al tiovivo un día cuando observé que las cosas eran diferentes. Una gran multitud se había reunido en torno a la plataforma, pero no había música ni movimiento.

Mientras me abría paso entre la multitud oí que alguien gritaba:

—¡Un judío lo hizo!

Me pregunté que podría ser lo que había hecho el judío. Entonces lo vi, no podía dar crédito a mis ojos: ¡uno de los caballos había desaparecido!

Sólo quedaba de él tres de sus cascos. Me había acostumbrado a pensar en los caballos como algo tan real que por un momento me sorprendió ver madera amarilla y astillada, en lugar de sangre y hueso, donde las patas habían sido serradas. Una franja de color superviviente me informó de que el caballo había sido negro. Era el mío: mi hermoso caballo negro y dorado.

—¡Encontremos al judío! —gritaba la gente. Yo, con los ojos clavados en los tres cascos sin caballo, sentí que mi ira se despertaba.

—¡Hay que encontrar al sucio judío! —decían las voces una y otra vez, y me parece que una de las que oí era la mía.

En un extremo del parque, dos Botas, de pie, hablaban fumándose un cigarrillo.

Encontraron al judío, o quizá deba decir que encontraron a *un* judío.

Los judíos eran intercambiables: uno cualquiera era tan bueno como cualquier otro. Eso era algo que iba a comprobar muchas veces. Así que, antes de que la mañana terminara, un judío apareció tambaleándose por la nieve con una soga atada al cuello.

Fue conducido a un claro que había entre los tocones de los árboles.

Alguien pasó otra soga por su cuello.

Otro le despojó de toda su ropa. Hasta ese momento no me había dado cuenta del frío que hacía.

El hombre pareció encogerse, pareció concentrarse en sí mismo hasta que todo lo que se vio de él fueron sus ojos desorbitados. La nieve le cubría los tobillos.

—¡Haced sitio! ¡Haced sitio! —gruñó alguien. Aparecieron dos Botas que cruzaron la multitud arrastrando una gruesa manguera. Se detuvieron a diez metros del hombre encogido y le apuntaron con la manguera. Brotó un grueso chorro de agua. La manguera saltó de las manos de los Botas y empezó a colear alocadamente como una lombriz partida en dos. La gente gritó y echó a correr. Los Botas saltaron sobre la cabeza de la manguera y se las arreglaron para sujetarla. Después la apuntaron de nuevo al hombre. Cuando el chorro le golpeó, salió volando hacia atrás, pero las dos sogas que tenía alrededor del cuello le frenaron en seco. Los hombres de la manguera retrocedieron un poco.

Las cosas se calmaron entonces, y la gente se agrupó de nuevo. Algunos vitoreaban, reían y aplaudían. Otros se limitaban a mirar.

No me parecía posible, pero los ojos del hombre se hicieron aún más grandes y me dio la impresión de que estaba intentado encogerse todavía más, de que intentaba desaparecer por completo. No profería ni un solo sonido. Cuando me alejé de allí se estaba poniendo azul.

No volví al tiovivo hasta que la nieve desapareció y la hierba verdeaba en los tocones. Me pregunté si el hombre se habría derretido como la nieve.

Los tres cascos habían desaparecido de la plataforma del tiovivo. El único recordatorio de lo que había sucedido era el espacio vacío donde el hermoso caballo había estado. Por otra parte todo estaba como siempre: la música era estridente, las señoras reían, los niños daban vueltas y más vueltas…

15

OTOÑO

La gente se iba. Jamás había visto tanta gente que se marchara. Estábamos de pie en la esquina de una calle, mirando.

Eran judíos. Lo sabía por los brazaletes. Cada judío tenía que llevar un brazalete blanco con una estrella azul. Esto era de gran ayuda para decir quién era judío, porque ya ninguno llevaba barba. Hasta ese momento sólo había visto unos cuantos judíos por allí, y otros cuantos judíos por allá. No sabía que hubiera tantos.

Venían de muchos lugares, de muchas calles, pero iban todos en la misma dirección. Los niños pequeños tiraban de carritos atestados de juguetes, ollas y libros. Los adultos arrastraban bamboleantes carros de muebles, ropas, cuadros y alfombras. Parecía que habían vaciado casas enteras en carretas y carros, y en los abultados sacos que muchos llevaban al hombro. Las carretas de mayor tamaño eran arrastradas por caballos, y las más pequeñas por gente. Caballos y gente tenían el mismo aspecto: paso cansino, ojos clavados en el suelo, inclinados hacia adelante debido al peso de sus cargas. Los caballos no llevaban brazalete, pero ellos también eran claramente judíos.

Formaban un desfile blanco y azul. ¡Qué diferente del gran desfile de los Botas! Tan lento, tan silencioso. Muy de cuando en cuando se oía el llanto de un niño. El retumbo de un millar de botas de los Botas era ahora el susurro de miles de pies arrastrándose. En lugar del rugido de los tanques, se oía ahora el entrecortado traqueteo de las ruedas de los carros.

Hice visera sobre los ojos.

—¿Adónde van? —le pregunté a Uri.

—Al gueto —respondió.

—¿Qué es el gueto?

—Donde viven los condenados.

Aunque la gente estaba silenciosa, se oía mucho ruido detrás de ellos. Había silbidos, vítores y ruidos de cristales rotos. Según la gente desplazada salía de sus casas, otros se precipitaban dentro. Había peleas a puñetazos en los patios. La gente salía y entraba de los portales. Las ventanas de los áticos se abrían de golpe, y los nuevos ocupantes de las casas gritaban sobre las cabezas de los caminantes:

—¡Es mía!

Pero a mí me interesaba más el sitio ese, el gueto, estuviera donde estuviera.

—Vuelve para el toque de queda —dijo Uri. Era todo lo que me advertía últimamente.

Eché a andar con los judíos: durante unos instantes me sentí transportado. Desde el gran desfile de los Botas había querido participar en uno. Y así desfilé en algo que sólo estaba en mi imaginación, dejando atrás un judío cansino tras otro. Desfilé con la cabeza alta, balanceando los brazos, marcando el paso de la oca, como si fuera calzado con unas botas altas y brillantes. Si alguien se dio cuenta, yo no lo noté. Nadie dijo una palabra. Muy pronto mi imaginación vaciló y reduje mi ritmo para ponerme al mismo paso que los demás.

Me encontré caminando junto a un chico que podía tener la edad de Uri. El chico tiraba de un saco gris con bultos que parecían calabazas.

—¿Conoces a Uri? —pregunté.

El chico siguió mirando hacia delante sin pestañear.

Lo repetí, más alto:

—¿Conoces a Uri?

El chico no parecía darse cuenta de que yo estaba allí, pero eso no me detuvo. Estaba decidido a hablar.

—Uri tiene el pelo rojo. No es judío.

Yo siempre tenía cuidado de no delatar a Uri.

—¿Puedo tocar tu brazalete?

El chico no me respondió.

Lo toqué.

—Soy un gitano —le dije—. Quizá un día consiga también un brazalete.

Saqué una salchicha del bolsillo (llevaba una salchicha conmigo siempre que podía disponer de una. Iba comiéndola durante el día). Se la tendí:

—¿Te gustaría darle un mordisco a mi salchicha?

Sus ojos se movieron por primera vez. Entonces, la señora que caminaba al otro lado dijo:

—No tiene hambre. Vete, por favor.

Qué desagradecidos, pensé, pero hice lo que me había dicho. Fui de uno a otro, haciendo preguntas:

—¿Va usted al gueto?... ¿Tendrán una buena casa en el gueto?... ¿Queda mucho para el gueto?...

No recibí ni una sola respuesta. Les ofrecía a todos mi salchicha, pero nadie la mordió. Nadie me vio, o eso me parecía, excepto los zorros de los hombros de algunas señoras. Sus diminutos y redondos ojos negros se fijaban en mí interminablemente.

Poco después vi una yegua moteada:

—¡Greta! —grité, y corrí hacia ella. Pero todo lo que hizo fue babear sobre mi cabeza y supe que no podía ser Greta.

Oí niños que cantaban, y una voz familiar que decía:

—¡El Viejo Ganso! ¡Uno! ¡Dos! ¡Tres!

Corrí.

—¡Doctor Korczak!

El doctor se tambaleó y se rió cuando me eché encima de él.

—¡Doctor Korczak! ¿Va usted también al gueto?

—Sí —respondió—, vamos todos.

—¿Es maravilloso? —le pregunté.

Él sonrió:

—Nosotros lo haremos maravilloso.

Desfilé con los huérfanos; iban cantando. No me sabía la letra, así que me limité a tararear. Cuando estaba con ellos, yo también quería ser huérfano. En un momento dado se escuchó un grito entre las canciones, el traqueteo y los chirridos de los carros y los pasos de la gente que caminaba:

—¡Pastel de huérfanos!

Y entonces vi a Janina. Avanzaba trabajosamente con su familia. El saco que llevaba al hombro casi tocaba el suelo. Corrí hacia ella y exclamé:

—¡Janina!

Me miró, sonrió y respondió:

—¡Misha!

Yo exploté:

—¿Vas al gueto? ¿Dónde vas? Ahora hay otra persona en tu casa: no me gusta. Me echó cerveza encima. Le aplasté los pies.

Ella se rió. Yo repetí:

—¡Le aplasté los pies!

Janina se rió más fuerte.

—Janina —dije yo—, es como si nadie me viera, excepto el doctor Korczak.

Una voz dijo entonces:

—Ellos te ven.

Venía del hombre que caminaba detrás de nosotros. Tiraba de un carro atestado mediante unas correas sujetas a los hombros. Era una de las personas que había visto en torno a la mesa de cumpleaños.

—Es mi padre —dijo Janina.

—No me ven —le dije al padre de Janina.

El carro crujía y traqueteaba detrás de él.

—Te tienen miedo —dijo.

Yo me reí y respondí:

—Nadie me tiene miedo.

Janina me miró indignada y dijo:

—¡No te rías de mi padre! Si dice que te tienen miedo, te tienen miedo.

Levanté la vista hacia él. Como todos los demás miraba derecho hacia delante. Tenía los ojos grandes y de color avellana como los de Janina.

—¿Por qué me tienen miedo? —pregunté.

Antes de que pudiera contestar, Janina gorjeó:

—Porque no eres judío, ¿qué te crees?

No me podía imaginar nada parecido. Gente que me tenía miedo. Saqué la salchicha y dije:

—¿Quieres un trozo?

—¡No! —exclamó una voz de mujer, pero demasiado tarde. Janina había agarrado la salchicha y le había dado un buen mordisco. Luego se la tendió a su padre; él la miró durante un momento y también la mordió. Se la tendí a la señora, pero ella negó con la cabeza.

Entonces, otra mano salió de la multitud y la agarró. Era un hombre, y acabó con lo que quedaba.

—Ése es mi tío Shepsel —dijo Janina—. Vive con nosotros.

Tendí la mano hacia el saco de Janina y dije:

—Quiero llevártelo.

Ella me lo dio y al instante se adelantó. Yo me eché el saco al hombro y sentí que tiraba de mí hacia atrás.

—¿Qué hay dentro? —pregunté.

Janina retrocedió hasta estar a mi altura de nuevo y contestó:

—Todas mis cosas favoritas, salvo mi patinete. Mama no me dejó traer el patinete —dijo mirando furiosa a la señora.

Señalé a su brazalete y le pregunté:

—¿Te gusta?

—Tobías… —dijo la madre de Janina.

—No te preocupes —dijo el padre—. Es el chico.

—Ya lo sé. El ladrón.

—No te preocupes.

Y entonces, más adelante, se oyeron ruidos. El chirrido de las ruedas de carro se hizo más fuerte.

—Venid… venid…

El padre de Janina gruñó y se puso a tirar de su arnés hasta que estuvo prácticamente al nivel del suelo. El desfile iba más rápido. El tintineo de las ollas que caían sobre el empedrado parecía el de enfermizas campanas de tranvías. La gente gritaba. La gente corría.

16

—¿Un trastero? —preguntó Uri.

—Un trastero —respondí.

Tracé en el suelo una línea con el pie, una línea que dividía en dos nuestro compartimento del establo:

—De este tamaño. Es lo que el tío Shepsel dijo: "Estamos viviendo en un trastero".

Le estaba contando cómo había ido el día. Le conté cómo me había encontrado con Janina y con su familia y que todo el mundo se precipitó en el gueto, y que por esa razón supe que el gueto debía ser un lugar maravilloso. Le conté cómo habíamos entrado en el patio, una sucia plaza rodeada por altos muros de viviendas, y cómo el padre de Janina había acuciado al tío Shepsel -¡rápido, rápido!- y cómo el tío Shepsel se había metido en una de las casas y se había lanzado escaleras arriba y cómo Janina y yo le habíamos seguido, pero yo me quedé atrás debido al saco, y cómo el tío Shepsel se plantó en un umbral del cuarto piso y nosotros también nos plantamos hasta que la madre y el padre de Janina aparecieron. Luego bajamos y descargamos el carro y subimos las cosas. Algunas de ellas necesitaban dos o tres personas para ser transportadas, pero siempre había alguien plantado en el umbral, y la casa era un "loquero" -eso es lo que había dicho la madre de Janina, un "loquero"- porque todo el mundo estaba haciendo lo mismo y sólo había una escalera y siempre te encontrabas con alguien plantado en cada entrada.

Cuando todo estuvo arriba, el padre de Janina y el tío Shepsel hicieron pedazos el carro a martillazos y patadas y subieron también los trozos grises y astillados del carro, incluso las ruedas.

Después, el padre de Janina cerró la puerta y el tío Shepsel dijo:

—Estamos viviendo en un trastero.

También le conté a Uri lo que había sucedido cuando ya me iba. Janina quería bajar al patio conmigo, pero su madre se lo prohibió. Ella me acompañó entonces hasta el descansillo y dijo:

—Espera —y se metió dentro.

Cuando salió de nuevo hacía muecas y sonreía:

—Cierra los ojos y extiende la mano —dijo.

Yo hice lo que me pedía y sentí algo en mi mano.

—Ábrelos.

Era un bombón, uno de crema con avellana dentro. Pero en realidad era sólo medio bombón. Faltaba incluso media avellana.

—No lo sabía hasta que lo mordí —dijo ella—. Entonces lo guardé para ti.

Me lo comí. No había comido uno desde hacía mucho tiempo. Pensaba que nunca saborearía otro. Janina siguió haciendo muecas y sonriendo.

Corrí escaleras abajo.

Cuando volví al gueto me topé con un muro. Había hombres construyéndolo con ladrillos; era como tres veces más alto que yo. Lo fui siguiendo hasta que encontré una sección que no había sido completada aún, donde el muro tenía sólo una altura de un par de ladrillos. Pasé la pierna por encima y alguien soltó un aullido. Yo corrí.

Correr no era fácil, porque nuevamente arrastraba un gran saco, esta vez lleno de comida. La cosecha estaba madura y las manos y los pies rápidos tenían que recolectarla.

Encontré la casa. Estaba en la calle Niska. Subí las escaleras hasta la puerta y llamé. Oí una voz áspera que decía:

—¿Quién está ahí?

—Misha Pilsudski.

Se oyó un chirrido y luego ruidos de cerraduras. La puerta se abrió de golpe, Janina levantó las manos y gritó:

—¡Misha!

La madre de Janina estaba tumbada sobre un colchón en un rincón del cuarto. Abrió un ojo y gruñó:

—¡Tú de nuevo!

—¿Qué es eso? —preguntó Janina señalando el saco.

El tío Shepsel cerró la puerta de golpe y pasó los cerrojos.

—Comida —respondí.

Había una mesa cuadrada en el centro del cuarto y yo vacié el saco en ella.

Janina aplaudió:

—¡Comida!

Nabos y manzanas rodaron de la mesa al suelo.

Había manojos de zanahorias, acelgas, hogazas de pan, tarros de mermelada, melaza, bolsas de azúcar y ristras de salchichas. Todo el mundo se reunió en torno a la mesa. Hasta la madre de Janina se levantó del colchón.

—¿Dónde la has conseguido? —preguntó el padre de Janina.

—En muchos sitios —respondí.

El tío Shepsel partió una zanahoria en dos y dijo:

—El oloroso ladroncillo de pies ligeros.

La madre de Janina abrió un saco blanco y polvoriento. Metió en él un dedo, se lo llevó a la boca y dijo:

—Esto es harina para hornear. Necesitas un horno si quieres usarla. ¿Es que hay un horno aquí?

Se tumbó en el colchón de nuevo y se volvió hacia la pared.

—Me acuerdo de los hornos. Tuve uno —tosió—, una vez. Una vez fui un ser humano.

El tío Shepsel la miró con ojos tristes y dijo:

—Érase una vez.

—Fuera hay un muro —dije yo—. ¿Por qué hay un muro?

—Para que la chusma no pueda entrar —dijo el tío Shepsel con una mueca.

—¿Cómo entraste tú? —me preguntó Janina.

Le dije que había encontrado un tramo de poca altura y que sencillamente había pasado por encima. Añadí:

—Puedo ir a cualquier sitio.

No me estaba jactando, me limitaba a constatar lo que era capaz de hacer. Mi pequeño tamaño, mi velocidad, mi constitución escurridiza habían terminado por encantarme. A veces me veía como un bicho, como un pequeño roedor, como un animalejo capaz de escurrirse por lugares que el ojo no podía ni siquiera ver.

De repente se oyó un golpe en la puerta. El dedo del tío Shepsel voló hasta sus labios:

—No habléis —susurró—. No estamos.

Entonces el padre de Janina dijo, para terror del tío Shepsel:

—¿Quién anda ahí?

—Hiram Lefkowitz —fue la respuesta.

El padre de Janina abrió la puerta y dijo:

—Sí, pasa.

El tío Shepsel echó un abrigo sobre la comida que había encima de la mesa justamente cuando entraba Hiram Lefkowitz, que se quitó el sombrero y le tendió un trozo de papel al padre de Janina:

—Doctor Milgrom…

El padre de Janina tomó el papel y respondió:

—No soy doctor.

Se acercó a una especie de caja que le llegaba hasta la cintura -estaba en el suelo- y tiró de ella. Se abrió como si tuviera alas: parecía un armario con muchos cajones pequeños. A cada lado había estantes de frascos, algunos con polvos y otros con líquidos de diferentes colores. Me recordó a la barbería. Me pregunté cómo podrían haber sobrevivido los frascos a la traqueteante travesía por media ciudad.

El padre de Janina extrajo algo de un cajón, lo puso en un sobre pequeño y se lo dio al hombre. Éste sacó una manzana del bolsillo y se la tendió. Parecía a punto de echarse a llorar.

—Me gustaría…

—Váyase —dijo el padre de Janina, llevándole hacia la puerta—. No es necesario. Váyase.

El hombre se volvió para tocar al señor Milgrom:

—Shalom.

—Shalom.

El tío Shepsel cerró la puerta y pasó el cerrojo. Sacudió un dedo delante de la cara del padre de Janina y dijo:

—Mañana lo sabrá todo el mundo. Llegarán en tropel. Nos avasallarán.

El señor Milgrom empujó las alas, y el conjunto se convirtió de nuevo en una caja de aspecto corriente.

—¿Qué querías que hiciera? ¿Reservarlo todo para nosotros? Me dio una receta. Hice mi trabajo.

—En una semana no quedará nada. Arramblarán con todo.

—Quizá nos hayamos ido de aquí en una semana.

—Si salimos de aquí será para ir a nuestras tumbas —respondió el tío Shepsel. Señaló a una de las ventanas y añadió—: ¿piensas que están levantando ese muro sólo para una semana? ¡Tendremos suerte si salimos alguna vez de este sitio!

Dijo esto último gritando.

La madre de Janina gruñó en el colchón.

Janina y yo fuimos al rincón que se había convertido en nuestro rincón.

—Mi padre es farmacéutico —me dijo.

—¿Qué es un farmacéutico? —pregunté.

—Un farmacéutico prepara medicinas.

—¿Qué son medicinas?

Janina me miró extrañada:

—Las medicinas sirven para que la gente se ponga bien cuando están enfermos. Son como las píldoras y el aceite de castor —continuó. Hizo un gesto de asco y añadió—: ¡Ug!

—Tu padre se llama Tobías Milgrom —dije, el rostro de Janina resplandeció.

—¡Sí!

—Tú te llamas Janina Milgrom.

—¡Sí!

—¡Yo soy Misha Pilsudski!

Janina palmoteó y respondió:

—¡Sí!

El tío Shepsel nos miró con aspecto iracundo. Janina le sacó la lengua. Yo solté una risilla. No sólo tenía un nombre para mí, sino que ahora sabía el de otros. Me reí como si me hicieran cosquillas.

17

Repentinamente todo el mundo vivía con Uri y conmigo en el establo: Enos, el cara de vinagre; Kuba, el payaso; Ferdi, el que echaba humo; Olek, el manco; Gran Henryk, el de los pies descalzos; Jon, el gris, el que no hablaba y otros chicos que nadie parecía conocer.

—Destacamos como zurullos *coloraos* —dijo Enos.

Dijo que, como el resto de los judíos estaban en el gueto, los chicos ya no podían mezclarse con los viandantes.

—Y hay soplones por todas partes.

—¿Qué son soplones? —pregunté.

—Tipos que les cuentan a los Botas dónde se esconden los judíos.

—Me alegro de no ser judío —dije.

Enos me obsequió con una fea risa.

—No te preocupes, el gueto es también para ti. He oído que meten en él a los gitanos. Y a los tullidos. Y a los locos. Si quieres estar seguro, sé una cucaracha.

Debía haber un soplón por allí porque, una mañana que dormíamos en el pajar, la puerta se abrió de golpe y oímos gritos. Correteamos alocadamente -como cucarachas- pero había Botas por todas partes. Uno de los chicos nuevos saltó de lo alto: le dispararon en el aire y cayó al suelo como un muñeco de trapo.

Nos llevaron al gueto. Como habían terminado el muro de ladrillos -coronado con cristales rotos y alambre de espino- hubiera sido muy difícil volver a ver a Janina. Me lo tomé como un insulto personal y un desafío. Nunca me habían mantenido fuera de ningún lugar donde deseara entrar, y no dudaba que hubiera encontrado el modo de pasar al otro lado. Sin embargo, no era tan orgulloso como para no agradecer que los escoltas me lo estuvieran poniendo tan fácil.

Otra cosa ocupaba mi mente durante la marcha: Uri. No estaba con nosotros. Cuando los Botas nos atraparon en el establo, no estaba, lo que no era sorprendente. En las últimas semanas Uri se iba a menudo, a veces durante días. Con su pelo rojo y con su invisibilidad *yo-soy-de-aquí*, Uri pensaba que nunca lo tomarían por judío. Circulaba por las calles sin el menor miedo. Además estaba convencido de que era mucho más listo que los Botas.

Yo siempre sabía cuándo iba a desaparecer: ponía su puño bajo mi barbilla y me susurraba con los dientes apretados:

—Que no me entere yo…

Quería decir que había encargado a alguno de los chicos que me vigilara y, a título de soplón personal, le contara a la vuelta si yo había hecho algo especialmente tonto o estúpido. Creo que le habría sorprendido saber que sí hacía caso de sus advertencias, tanto como yo era capaz de hacer caso de una advertencia. Por alguna razón, me sentía más libre de ser tonto y estúpido cuando Uri estaba que cuando no.

Nunca se me ocurrió preocuparme por Uri. Pensaba que lo sabía todo y que podía enfrentarse a todo. Pero, empujado por los rifles de los Botas, no pude por menos que preguntarme por él. ¿Dónde se encontraría? ¿Qué estaría haciendo? ¿Qué pensaría cuando volviera al establo y lo encontrara vacío? No me pregunté sin embargo si daría con nosotros. Sabía que podía.

Los Botas nos llevaban por la calzada, en lugar de por la acera. Los carros y los automóviles nos abrían paso. La gente nos miraba. *¡Somos un desfile!*, pensé. Pero ante este desfile la gente no permanecía silenciosa.

—¡Adiós, mocosos!

—¡Para adentro!

—¡Sucios judíos!

No me molesté en decirles que yo no era judío.

En una de las calles nos pusimos a seguir las vías del tranvía. De repente vino uno de ellos justo de frente. Dudamos. Los Botas gritaron. Seguimos. No nos detuvimos. El tranvía sí. Entonces, con un ruido metálico y un campanilleo, comenzó a moverse hacia atrás, y de este modo seguimos calle abajo, con el tranvía retrocediendo ante nosotros mientras avanzábamos.

Pronto doblamos una esquina y nos encontramos con otro muro, un muro que se extendía a la izquierda y a la derecha, que se prolongaba hasta el infinito en ambas direcciones. Los ladrillos eran rojos, el cielo azul brillante y los nudos del alambre de espino brillaban como pendientes de señora. Un pájaro amarillo se posó en un lazo de alambre, se quedó allí un momento y levantó el vuelo otra vez.

Llegamos a una puerta en el muro, el guardia la abrió y la atravesamos. Los Botas se quedaron detrás. Uno de ellos hizo una pequeña reverencia. Yo no me di cuenta de que se burlaba de nosotros. Le devolví la reverencia. Me asestó una patada en el trasero que me tiró al suelo. La puerta se cerró de golpe.

Me fui derechito al apartamento de los Milgrom. Cuando Janina me abrió la puerta, anuncié:

—¡Ahora vivo en el gueto!

—Justo lo que necesitamos —dijo el tío Shepsel—. Un vecino más.

Me di cuenta de que no estaban los padres de Janina:

—¿Dónde andan tus padres?

Janina me dijo que habían sacado a su padre del gueto y de la ciudad con una cuadrilla de trabajo y que su madre estaba cosiendo uniformes de los Botas en una factoría de Varsovia. Sólo a la gente que tenía permiso de trabajo se le permitía atravesar el muro.

—¡Salgamos! —dije.

Abandonamos a toda velocidad el apartamento y corrimos escaleras abajo, mientras el tío Shepsel gritaba:

—¡Ponte el brazalete!

Fuera estaba despejado y hacía frío. Corrimos por el patio como cachorros sueltos. Oímos la voz del tío Shepsel que bajaba desde la ventana:

—¡Tu brazalete!

Salimos a la calle corriendo.

—¿Por qué no llevas tu brazalete? —le pregunté a Janina.

—¿Y tú por qué no? —respondió ella.

—Yo no soy judío.

—Y yo sólo soy una niña. ¿A quién le importa una niña? —dijo ella. Y volviéndose, añadió—: Además ahora vivimos en el gueto, estamos seguros.

Corrimos calle abajo.

A mis ojos, este lado del muro era muy parecido al otro: ruidosas aglomeraciones de gente por todas partes. Parecía incluso que los zorros que llevaban las ricas en los hombros iban a ponerse a hablar en cualquier momento.

Aquí y allá había personas que vendían cosas. Gritaban:

—¡Espejo! ¡Intacto!

—¡Bonitas pinturas, tres por el precio de una!

—¡Juguetes! ¡Juguetes!

—¡Cepillo! ¡Barato!

Vi un chico con un brazo y grité:

—¡Olek!

Corrimos hacia él. Olek bizqueó mirándonos, protegiéndose los ojos con una mano.

—Olek es manco —le dije a Janina.

Ella me dio un codazo y contestó:

—Ya lo veo.

Se volvió a Olek y le preguntó:

—¿Qué le pasó a tu brazo?

Olek miró su hombro derecho y por un momento pareció sorprendido de que su brazo no estuviera allí. Arrugó el ceño y contestó por fin:

—El tren.

Janina extendió la mano y dijo:

—No te pongas triste. Este otro está sano.

—Ésta es Janina Milgrom —anuncié orgullosamente—. Es mi hermana.

Me salió así.

Olek la miró, pero no sonrió. Nos miramos unos a otros durante un rato y después nos separamos.

Más tarde nos encontramos con Jon, el de la cara gris, el que no hablaba. Estaba sentado en la acera, apoyando la espalda contra el muro semiderruido de un edificio bombardeado.

—Hola, Jon —dije.

Jon no pareció oírme. Tenía los ojos cerrados.

—Está durmiendo —susurró Janina.

En ese momento Jon abrió un ojo.

—Ésta es Janina Milgrom —dije.

Janina extendió la mano y dijo:

—Hola.

El ojo se cerró.

Yo susurré en el oído de Janina.

—No habla.

Janina me empujó para que nos alejáramos de allí.

—Déjale dormir —dijo.

Según nos alejábamos, añadí en voz alta:

—Es mi hermana.

Y luego, dirigiéndome a Janina, comenté:

—Jon tiene la cara gris. Está enfermo.

Janina respondió:

—¿Por qué les vas diciendo que soy tu hermana? No lo soy.

Me encogí de hombros. No lo sabía.

Antes de que volviéramos a la calle Niska, oímos chillidos y gritos en un callejón. Un montón de niños se agitaba en el suelo. Repentinamente uno de ellos, un chico, salió a rastras y corrió en nuestra dirección. Según se acercaba vi que aferraba una patata. Unos cuantos niños echaron a correr tras él. El resto salió arrastrándose del callejón. Janina me miró y pregunto:

—¿Qué ha sucedido?

—Huérfanos desgraciados —dije. Le conté que era lo que Enos les llamaba, huérfanos desgraciados, huérfanos que no vivían en el hogar del doctor Korczak, ni en ningún otro, y que se pasaban el día vagando por las calles, hambrientos, mendigando y enfermos.

—Alégrate de que no somos huérfanos desgraciados —le dije.

—¿Es Jon el gris un huérfano desgraciado? —preguntó ella.

—Oh, no —respondí yo—. Jon tiene suerte. Está con nosotros.

18

INVIERNO

Uri nos había encontrado la primera mañana que pasamos el muro. Pero ahora le veíamos muy poco.

—¿Pasas al otro lado? —le pregunté—. ¿Tienes permiso de trabajo?

—No preguntes —respondió.

Era un día muy frío. Uri y yo estábamos en la calle. Yo llevaba dos abrigos, pero no podía calentarme los pies. Había mucha gente. Vi a un chico. Al principio pensé que era un chico, por su tamaño. Estaba tendido en la acera, y me pregunté cómo podía dormir con todo el ruido y la gente. Era muy extraño. No estaba en un portal, donde a menudo había visto gente durmiendo, ni siquiera se encontraba en el borde interior de la acera. Estaba exactamente en el medio. Los viandantes lo evitaban trazando a su alrededor la forma de un huso. Era extraño también que nadie pareciera verlo, que nadie tropezara con él. Pero lo más extraño de todo era el periódico. Le cubría como una manta.

—Uri —dije—, ese chico es un estúpido. Seguro que ese periódico no le calienta.

—Nada puede calentarle —respondió Uri—. Está muerto.

Nos detuvimos junto al chico muerto. Todos los demás seguían su camino.

—¿Por qué está muerto? —dije—. ¿Le han disparado los Botas?

Uri se encogió de hombros y respondió:

—Tal vez. O que no comía, o el frío. O el tifus. Lo que más te guste.

— 96 —

—¿Qué es el tifus?

—Una enfermedad. Muy popular.

—Huérfano desgraciado.

—Sí.

Me empujó para que nos fuéramos.

De ahí en adelante vi cadáveres tapados por periódicos todos los días. Era fácil saber cuándo eran niños: sólo se necesitaba una página para taparlos.

Un día le pregunté a Uri:

—¿Por qué los cubren con periódicos?

—Para que nadie pueda verlos.

—Pero yo si puedo —contesté.

Uri no respondió.

Entonces vi uno que sí fue visto. Por un hombre. Se detuvo frente a él. Apoyó el pie sobre el bulto que el periódico cubría y se ató el zapato.

Los cuerpos nunca estaban en el mismo sitio más de un día, pero siempre había nuevos cadáveres en nuevos sitios. A veces los pies sobresalían del periódico. En los primeros días los pies siempre estaban calzados. Después los zapatos desaparecieron. Luego los calcetines.

Por las noches me preguntaba quién ponía los periódicos sobre los cuerpos y quién se los llevaba.

Pensaba: *los ángeles*.

19

Los chicos y yo dormíamos entre los escombros. No teníamos mantas, pero sí una alfombra de nudos y siempre dormíamos juntos bajo ella. Pero ése no era nuestro abrigo principal: nuestro principal medio de darnos calor éramos nosotros mismos. Dormíamos abrazados unos a otros, con las narices apretadas contra los cuellos de los demás. Enos lo llamaba intercambiar piojos. Si alguien dejaba escapar una ventosidad, se le echaba a patadas de la alfombra. Cuando Uri estaba con nosotros, yo dormía cerca de él. Muchas noches, sin embargo, salía; yo me preguntaba dónde iría pero, como me había dicho que no hiciera preguntas, no las hacía.

Éramos como una camada de gatos. Había voces en la oscuridad. A menudo hablábamos de las madres. Aunque yo no podía recordar la mía, tenía una idea bastante buena de lo que era una madre. Ferdi no. Siempre estaba diciendo:

—No creo en ellas.

—¿De dónde crees que vienes? —preguntó Enos una noche debajo de la alfombra—. ¿De una elefanta?

—¿Quién piensas que son todas esas señoras que llevan a los niños de la mano? —preguntó Olek.

—Falsificaciones —respondió Ferdi, cuyas respuestas nunca eran muy largas. Exhalaba más humo que palabras.

—Todo el mundo tiene una madre —dijo Kuba—. Todo el mundo.

—Huérfanos —dijo Ferdi. Siempre que hablaba, le olías su aliento a puro.

—También los huérfanos tienen madre, bobo —dijo Enos—. Están muertas, eso es todo.

—Las madres verdaderas no mueren —dijo Ferdi.

Nadie tenía una respuesta para eso, así que nos pusimos a hablar de naranjas.

Las naranjas eran un tema habitual. Enos dijo que las había comido muchas veces, pero Ferdi respondió que eran falsas.

—¿Cómo saben las naranjas? —le pregunté a Enos.

Enos cerró los ojos y respondió:

—Como ninguna otra cosa en el mundo.

—¿Qué aspecto tienen?

—El de un sol pequeño cuando se pone.

Ferdi dijo:

—Las naranjas no existen.

A la luz de la mañana, casi todos los otros empezábamos a creer en las madres y en las naranjas de nuevo, pero ahora, debajo de la alfombra, en la oscuridad más absoluta, mientras oíamos los débiles sonidos de la ciudad al otro lado del muro, Ferdi nos hacía dudar.

Todas las mañanas salíamos arrastrándonos de los escombros y nos echábamos a la calle. A veces nos quedábamos juntos, pero lo normal era que cada uno siguiera su camino. Si íbamos en grupo éramos un blanco más sencillo para los Zurros, la policía del gueto. No llevábamos brazaletes, ni papeles de identificación, ni ningún tipo de documento, nada.

—No existimos —dijo una noche Ferdi debajo de la alfombra.

Inmediatamente oímos la voz de Enos que respondía:

—Dile eso a mi estómago.

Enos no era el único: todos teníamos hambre. Esto era nuevo. Hasta ahora lo único que habíamos tenido que hacer era tomar lo que necesitábamos. Todo Varsovia había sido nuestro mercado. Incluso en el gueto, al principio, había habido comida al alcance de manos veloces y de pies rápidos. Pero ahora, después de meses de invierno, nos encontrábamos con las manos y los estómagos vacíos.

Las señoras ya no iban por la calle con hogazas en bolsas de papel. Los panaderos no horneaban, porque no había harina. Alguna tienda permanecía abierta aquí y allá, pero los estantes estaban más vacíos que otra cosa.

Allí donde hubiera un bocado de comida en un estante, había alguien de pie frente a él, custodiándolo, a menudo con una porra en la mano.

Uri traía comida a veces. Un frasco de melaza, un nabo. Cuando aparecía con chicle, lo masticábamos hasta sacarle todo el azúcar y luego nos lo tragábamos. Uri decía:

—Nos están matando de hambre.

—¿Por qué? —respondí yo.

—Para librarse de nosotros. Para liquidarnos —dijo Enos.

—Pues entonces ¿por qué no nos disparan sin más? —contesté yo. Enos hizo un gesto de burla y respondió:

—Se ahorran las balas.

Al principio había caballos en el gueto, pero pronto empezaron a desaparecer. A veces aparecían partes de ellos en mitad de la calle Gesia. La calle Gesia se convirtió en un mercado al aire libre. Se sabía que, si tenías comida que vender, ibas allí. La gente estaba de pie en la acera, sobre la nieve. Descansando sobre una mesita o un cesto dado la vuelta se veía un trozo de caballo, un cuarto de perro o de gato, una caja de sal, una barra de regaliz, una cebolla, una patata o dos.

Los vendedores se frotaban y se daban golpes en los brazos para defenderse del frío gritando:

—¡Tengo grasa! ¡Buena grasa de ganso! ¡Veinte *zlotys*!

—¡Huesos! ¡Huesos! ¡A machacar los huesos! ¡Mucha médula!

—¡Pichón!

—¡Ardilla!

—¡Perro! ¡Perro! ¡La mejor oferta!

Al principio los animales aparecían en el mercado con sus plumas o sus pieles, tan muertos como los zorros que algunas de las señoras llevaban sobre sus hombros. Después, si tenían combustible para el fuego, los vendedores empezaron a quitarles el pellejo o las plumas y a asarlos. Vendían después las carcasas, negras y crujientes, desprovistas de cabeza; dejaron de vocear la mercancía y los precios se pusieron por las nubes.

Un día recorrí la calle Gesia con Enos. Los olores de los animales asados me llenaban la boca de agua; no había comido nada desde el día anterior. Frente a los artículos en venta había hombres de pie, con porras. Los Zurros recorrían la calle. El mismo Enos no parecía hambriento, sino juguetón. Se contoneó calle abajo, meneando los dedos y, con el tono de voz chillón y afectado de las señoras con pieles sobre los hombros, dijo:

—¡Oh, sí, espléndido, me llevaré todo el ganso! —mientras señalaba a un ave que por el tamaño parecía un gorrión—. ¡Ay! Y quiero también media libra de esa magnífica ardilla, por favor… y ese ollar de caballo.

Yo me reía de Enos, mientras los hombres de las porras nos contemplaban amenazadores y nos decían que nos largáramos, y entonces miré a Enos a la cara y me di cuenta de repente que después de todo no estaba jugando. Me hizo un guiño. Yo agarré dos de los pájaros que parecían gorriones, esquivando la porra que caía, y ambos corrimos hasta que dejamos de oír los gritos detrás de nosotros.

Con el paso del tiempo, las aves y los perros desaparecieron del mercado de la calle Gesia, pero los vendedores nunca parecían quedarse sin ardillas. Pronto todos supimos por qué. Los cuerpos achicharrados, sin cabeza y sin cola, extendidos frente a los vendedores, no eran ardillas en absoluto, eran ratas. Los vendedores, sin embargo, continuaban gritando lo mismo:

—¡Ardilla! ¡Ardilla!

Un día que iba solo mangué dos ratas asadas. Me comí una y llevé la otra a casa de Janina. Me la metí en un bolsillo para que nadie me la quitara. Sólo Janina y el tío Shepsel estaban en casa. El señor Milgrom estaba en el campo de trabajo, como de costumbre, y la señora Milgrom en la fábrica de uniformes de los Botas.

Saqué la rata del bolsillo y, agarrándola por una pata, la levanté para que la vieran:

—Les he traído una ardilla —dije.

El tío Shepsel se rió:

—No sólo hueles, sino que eres estúpido —dijo entre risas—. Eso es una rata —añadió, dándole un papirotazo y haciendo que se balanceara entre mis dedos.

Janina la sujetó con cuidado y, dirigiéndose al tío Shepsel, dijo con tono burlón:

—Es una *ardilla*. La voy a guardar para mamá y papá.

El tío Shepsel tosió, miró en busca de un lugar donde escupir y por fin lo hizo en el suelo.

Janina le dio un golpe en un brazo y exclamó:

—Papá dijo que no lo hicieras. Escupe por la ventana.

Él dijo:

—Tu padre y tu madre distinguen una rata cuando la ven. No se la comerán.

Janina golpeó el suelo con el pie y contestó:

—Es una ardilla. Y *sí* lo harán. Están *hambrientos*.

—También yo —dijo el tío Shepsel y agarró la rata. Janina no la soltó, y vi cómo cada uno empezaba a tirar de un extremo del cuerpecillo: Janina de las pequeñas patas delanteras y el tío Shepsel de la parte de atrás. Gruñían y se miraban iracundos; entonces la rata se partió por el centro. Janina se cayó de espaldas. Cuando se levantó, el tío Shepsel estaba masticando su mitad. Janina intentó alcanzarla pero era demasiado alto. Se limitó a mantenerla apartada con la mano libre mientras terminaba su comida. En ese momento la madre de Janina volvió del trabajo. Noté la expresión de delicia en su rostro cuando Janina dijo:

—¡Mamá, comida!

Y vi cómo su expresión cambiaba al ver lo que era.

Cuando el señor Milgrom entró, vio el pequeño cadáver partido y, meneando la cabeza tristemente, dijo:

—No... todavía no.

Se dirigió al colchón y se dejó caer junto a la señora Milgrom. Janina empezó a llorar, tiró la rata al suelo y de una patada se la mandó al tío Shepsel, que la levantó. Cuando yo salía por la puerta, él le estaba quitando cuidadosamente la porquería que había recogido del suelo.

Al día siguiente me puse a caminar a lo largo del muro. Hasta entonces no había pensado mucho en el otro lado. Ahora pensé: *Al otro lado hay comida. Comida distinta de ratas.* Las puertas del muro estaban vigiladas por Botas y Zurros.

El muro era demasiado alto para saltarlo y, si conseguía llegar a la cima, tenía que salvar el alambre de espino y los cristales rotos. Todo ese día caminé y miré, caminé y miré. Al final vi algo: no estaba lejos de la fábrica de uniformes. Había una brecha entre la mampostería; estaba abajo, a mi alcance. Tenía un ancho de dos ladrillos. Yo no lo sabía entonces, pero era un agujero para drenar no sé qué. A nadie se le habría ocurrido que alguien pudiera pasar por un hueco que tenía un ancho de dos ladrillos.

Me alejé de allí y volví cuando se hizo de noche. Atravesé el orificio en un segundo. Me puse en pie al otro lado.

20

Esperaba volver con tanta comida que tendría que empujar las cosas una a una a través del orificio, pero todo lo que pude encontrar fue un tarro de trozos de pescado. Cuando me arrastraba a través del agujero se me cayó y se rompió. Recogí los trozos, les quité la tierra, me comí uno y metí el resto en los bolsillos. Me fui directamente a ver a los Milgrom. El tío Shepsel me saludo del modo acostumbrado:

—¡Ah, el oloroso!

Fuera estaba oscuro, pero esa noche había electricidad. Una única bombilla colgaba de un cable en el techo. La señora Milgrom estaba tumbada en el colchón. El señor Milgrom se sentaba a la mesa, en la única silla que había, haciendo cosas con sus píldoras y sus botellas. En un lado del cuello tenía una enorme roncha púrpura. Parecía una berenjena.

Janina empezó a reírse.

—¿Qué te hace tanta gracia? —le pregunté.

—¡Tú! —dijo ella señalando—. ¡Te has hecho pis!

Miré hacia abajo. La delantera de mis pantalones estaba empapada. Era el líquido que habían rezumado los trozos de pescado que llevaba en los bolsillos.

—¡Traigo comida! —anuncié orgullosamente. Saqué los trozos de pescado del bolsillo y los puse en la mesa. El tío Shepsel agarró uno, lo olió y dijo:

—Arenque marinado.

Vi cómo la señora Milgrom levantaba la cabeza.

El tío Shepsel devoró su trozo inmediatamente. El señor Milgrom y Janina agarraron un trozo cada uno y se lo llevaron a la señora Milgrom.

Se rieron al ver que estaban haciendo lo mismo. El señor Milgrom apretó la cabeza de Janina contra su pecho y dijo:

—Yo me ocupo de tu madre.

Janina levantó su trozo de pescado hacia la luz de la bombilla. La piel de uno de los lados era plateada. Dio vueltas y más vueltas al pedazo de comida, estudiándolo, después lo lamió como si fuera un pirulí, primero un lado y luego otro. Por último, mordió un pedacito. Mientras masticaba, mantuvo los ojos cerrados y sonreía soñadoramente. Le llevó mucho rato acabarlo.

El único ruido que se oía en el cuarto eran sonidos de masticación. Todos llevaban abrigos, sombreros y bufandas, pero se habían quitado los guantes para sentir mejor la textura del pescado. Las nubes de sus alientos congelados empañaban la cerosa mancha de luz.

Cuando el último pedazo se hubo acabado, Janina me señaló y dijo con aspecto enfadado:

—Tú no has comido.

Estaba empezando a explicar que me había comido un trozo antes de llegar cuando el sonido de una ametralladora perforó la noche. Se oía muy cerca. Inmediatamente se oyeron gritos, golpes, chillidos y ruidos de pies que corrían.

—¡Fuera! ¡Fuera!

El tío Shepsel se puso de pie en el centro de la habitación, con las manos en alto, y gritó hacia el cielo:

—¡Ya está! ¡Se acabó! ¡Ha llegado el momento!

—Cállate —dijo el señor Milgrom ayudando a su esposa a levantarse del colchón.

Janina abrió un poco la puerta y miró hacia fuera.

El otro lado era un manicomio.

—Abre la puerta —dijo el señor Milgrom con calma—, antes de que entren a por nosotros.

El tío Shepsel seguía gritando hacia el techo:

—¡Ha llegado el momento! ¡Ha llegado el momento!

Yo estaba a punto de abrir la puerta cuando el señor Milgrom dijo:

—No, espera.

Tirada contra una de las paredes había una gran bolsa de tela bordada con dibujos negros y verdes. El señor Milgrom buscó en ella y sacó un brazalete azul y blanco. Lo deslizó por la manga derecha de mi abrigo y me dijo:

—Esto es para ti.

Abrí la puerta. La gente se precipitaba escaleras abajo entre gritos, ruido de cristales rotos y disparos.

Bajamos hasta el patio. Janina me apretaba la mano. Podía sentir su temblor. El patio estaba inundado por una luz muy brillante. Me protegí los ojos. Janina se acurrucó contra mí. Entre la luz cegadora se oían voces, gritos:

—¡Moveos! ¡Moveos! ¡Sucios hijos de Abraham! ¡Sionistas apestosos! ¡Perros judíos! ¡Alineaos! ¡Alineaos!

Se estaban formando filas, como si se tratara de una compañía de soldados; yo pensé: *Tal vez vamos a hacer el desfile.* Encontramos sitios y nos quedamos de pie, quietos.

—¡Silencio! ¡Silencio! ¡Puercos repugnantes!

El señor Milgrom susurró:

—Yérguete bien. Aspecto sano.

Oí un quejido de la señora Milgrom.

Mientras formábamos las filas, empezó a nevar. Los copos eran gruesos y destellaban en la luz cegadora.

—Ojo, mantente firme —susurró el señor Milgrom. Yo no le presté demasiada atención, porque él no tenía forma de saber lo imposible que me resultaba estarme quieto. Nunca había estado quieto más de cinco segundos seguidos en mi vida. No obstante lo intenté. Tenía al señor Milgrom a un lado y a Janina al otro. Los soldados gritaban. Con mi nuevo brazalete pensé: *Ahora soy un judío. Un sucio hijo de Abraham. Me están gritando. Soy alguien.* Intenté escuchar atentamente, para oír lo que gritaban, pero no pude sacar en limpio mucho más que "sucio" y "repugnante" y "judío".

Algo ocurrió delante. Los gritos se hicieron todavía más altos, más estridentes. Oí un sonido seco y retumbante -*¡zuck!*- como si alguien estuviera golpeando madera. Me incliné hacia un lado, intentando ver más allá de la columna de gente que tenía delante. El señor Milgrom me echó hacia atrás de un tirón:

—¡Atención!

Yo estaba empezando a captar el mensaje: permanecer firme y atento era muy importante. Quizá alguien de delante no lo estaba haciendo bien. Acepté el desafío: *Si queréis postura de firmes os voy a dar yo postura de firmes.* Había visto a muchos Botas permanecer firmes. Estiré mi espina dorsal, entrechoqué los talones, levanté la barbilla y me puse a mirar a la espalda que tenía ante mí. Les di la mejor posición de firmes que jamás hubo en el mundo. Como los gritos continuaban, supuse que otros no eran tan buenos como yo.

La espalda que estaba mirando era verde: una señora que se cubría con un abrigo verde. La nieve seguía cayendo. A veces un copo me hacía cosquillas en la nariz, pero yo no me alteraba lo mas mínimo. No movía los ojos. Casi no respiraba. Copo tras copo, los hombros verdes de la señora se volvieron blancos.

En algún lugar de delante un niño empezó a llorar. Después otro a la derecha. Luego otro. Cuanto más alto lloraban los niños, más brillantes eran las luces.

—¡Perros judíos!

—¡Cerdos repugnantes!

¡Zuck! ¡Zuck!

Los Botas y los Zurros empezaron a recorrer las filas gritándoles a todos, golpeándoles con porras y fusiles, escupiéndoles a la cara. Un Botas se detuvo frente a la señora

Milgrom; yo podía verlo por el rabillo del ojo. Se puso a gritarle. La señora Milgrom cayó al suelo.

Él siguió gritando:

—¡Arriba, perra judía! ¡Puerca asquerosa! ¡Levántate!

Si quiere que se levante, pensé, *¿por qué le da patadas y le pega con la porra?* No lo entendía. Por fin el señor Milgrom se las arregló para que su esposa se pusiera en pie.

El Botas pasó junto a Janina y yo. Creo que me miró, pero las luces cegadoras que tenía a su espalda me impidieron verle el rostro. Durante un instante me sentí orgulloso, como si él me hubiera colocado una medalla por mantener una posición de firmes tan estupenda.

Cuando llegó a la altura del tío Shepsel, gruñó:

—¡Abre la boca!

Oí que el tío Shepsel profería un quejumbroso:

—¡Oohhh!

Debía haber abierto la boca, porque vi adelantarse el cañón de un fusil. No pude soportarlo más: volví la cabeza para ver lo que sucedía. El cañón se introdujo en la boca del tío Shepsel y empujó. El tío Shepsel cayó hacia atrás sobre la señora que estaba a su espalda, que a su vez se desplomó sobre el hombre que estaba tras ella y así sucesivamente hasta que toda la fila rodó por los suelos. El Botas se reía.

Me puse firme de nuevo. No quería que eso me ocurriera a mí.

Había sabido desde el principio que la señora del abrigo verde que estaba delante de mí tenía problemas. Su posición de firmes era muy mala. Oscilaba de un lado a otro, a veces su cabeza se vencía, y sus hombros no estaban derechos en absoluto. Un Botas que pasaba cerca se debió dar cuenta. Una porra bajó velozmente. *¡Zuck!* Después otra cruzándole el pecho. La nieve salió volando de sus hombros y me dio en la cara. Yo tenía la esperanza de que el Botas se diera cuenta de que no me había movido. No pasó mucho tiempo antes de que los hombros de la señora se pusieran blancos de nuevo. Ahora se le caía la cabeza todo el tiempo. Podía oír sus lloriqueos. El siguiente Botas que se acercó a ella le gritó:

—¡Oye tú, cerda apestosa! ¡Hueles como una marrana de granja!

La golpeó con la porra de nuevo, y de nuevo la nieve saltó de sus hombros. Los Botas empezaron a decirles a todos lo mal que olían y a taparse la nariz. Estaba estupefacto. Había pensado que yo era el único que olía mal.

Olfateé, y me empecé a oler a mí mismo. Me di cuenta de que se oían gemidos sofocados y jadeos a mi alrededor. Sabía lo que era el olor pero, a pesar de lo que los Botas dijeran, no había cerdos ni excrementos de cerdo en el patio. Y entonces sentí en el vientre la urgencia y entendí lo que sucedía. Habíamos estado de pie durante mucho tiempo, y la gente tenía que ir al baño, y no podía ir a ningún sitio porque se veía obligada a seguir allí de pie. Así que la gente había empezado aliviarse allí donde estaba. Oía sus tristes estremecimientos cuando el producto de su evacuación les corría piernas abajo y caía en la nieve. Cuando no pude contenerme más, hice lo mismo. Incluso entonces seguí manteniendo una posición de firmes tan espléndida que estuve tentado de llamar a los Botas y decirles: *¡Eh, miradme!*

Los gritos no cesaban. La gente empezaba a desplomarse en el patio. Se caía, se levantaba a medias y se volvía a caer. Era fácil decir quiénes no habían caído: los que mostraban las pilas más altas de nieve en sus hombros y sus cabezas. Ahora podía sentir el peso de la nieve en la mía. Me pregunté cuál sería mi aspecto. Me esforcé todavía más en no moverme. No quería que se me cayera la nieve.

Pensé en el ángel de piedra. Imaginé la nieve cayendo sobre él: dos crestas blancas elevándose desde la parte alta de sus alas. Tan silenciosos, ambos, el ángel y la nieve. Entonces se me ocurrió fingir que era el ángel de piedra. Cerré los ojos y fingí con tanto convencimiento como pude. Al cabo de un rato me convencí de que notaba las alas brotando de mis hombros. Quería mirar, ver mis alas, pero era un ángel de piedra, así que no podía moverme.

Lo siguiente que supe era que tenía la cara metida en la nieve y que el señor Milgrom y Janina intentaban ponerme en pie:

—¿Qué ha ocurrido? —pregunté.

El señor Milgrom me dio un cachete y dijo:

—Calla. Te golpearán. Te has desmayado. Estabas demasiado rígido; dobla las rodillas un poco.

Todo se estaba volviendo muy complicado, además de muy cansado. Se suponía que tenía que moverme, pero no moverme. Lo intenté. Doblé las rodillas. Los Botas chillaban. Los niños chillaban. Las luces chillaban. Estuvimos tanto rato de pie que mis pantalones se secaron.

Cuando finalmente nos dejaron ir, el cielo se estaba volviendo gris por encima de los tejados. Nos precipitamos a través de la nieve: grupos enloquecidos corrieron hacia los baños. Había uno en cada piso. Yo, por mi parte, no entendía los baños: nunca los usaba, nunca los necesitaba. El mundo era mi baño. Me arrastré escaleras arriba con los Milgrom. El tío Shepsel y la señora Milgrom nos obsequiaron con un dueto de lamentos que fue cobrando volumen a cada paso. Entré con ellos en su habitación; sólo quería dormir. Me desplomé en el suelo. Cuando me desperté, creí que seguíamos en el patio bajo las luces cegadoras, pero sólo era el sol en la ventana. El tío Shepsel se incorporó sobre un codo, me señaló y dijo:

—¿Por qué duerme aquí? ¡Huele!

—Lamento informarte —dijo el señor Milgrom—, de que tú no eres precisamente un jardín de rosas los últimos tiempos.

El tío Shepsel golpeó el suelo con el pie y añadió:

—No es de la familia.

El señor Milgrom, mirándole fijamente a los ojos, le contestó:

—Ahora sí.

21

Kuba levantó el periódico y dijo:

—Está muerto.

—*Kaputt* —dijo Enos.

Nos encontrábamos de pie en la nieve, alrededor del cuerpo de Jon. No tenía claro cómo podían saber que estaba muerto. Jon no estaba ni más gris ni más silencioso que de costumbre. Los viandantes pasaban a nuestro lado, sin mirar.

—Los zapatos —dijo Ferdi.

Jon tenía unos zapatos estupendos, como todos nosotros, excepto el Gran Henryk.

Cuando un par se nos gastaba, robábamos otro.

—Que alguien se los quite —dijo Enos.

—Pero es *Jon* —protestó Olek. Intentó señalar a Jon, pero sólo su hombro se movió hacia delante. A veces Olek olvidaba que su brazo derecho había desaparecido.

—Dádselos al Gran Henryk.

Era la voz de Uri. Hacía un momento no estaba.

—Al Gran Henryk no le gustan los zapatos —contesté.

Era cierto. Incluso antes del gueto, incluso antes de que llegaran los Botas, el Gran Henryk llevaba bolsas grises de monedas de banco en los pies, incluso con nieve. Se las ataba a los tobillos con cordones.

—No le valdrán —dijo Ferdi. Yo era incapaz de distinguir si la nube que exhalaba Ferdi era por el frío o por su cigarro.

—El Gran Henryk tiene los pies pequeños —dijo Uri —. Quitádselos.

Kuba le quitó los zapatos a Jon.

Uri limpió de nieve con el pie un trozo de suelo e hizo que el Gran Henryk se sentara. Le quitó las bolsas de monedas de los pies, le puso los zapatos de Jon y se los ató bien. El Gran Henryk se puso a dar saltos en cuclillas, como un niño. Dejó escapar un chillido estridente. Uri agarró las orejas del Gran Henryk y se las retorció. Pensé que se las iba arrancar. Los ojos del Gran Henryk se desorbitaron. Tirando de las orejas como si fueran asas, Uri puso al Gran Henryk en pie. Le dejó gritar un poco más y le dijo:

—¿Vas a llevar los zapatos?

El Gran Henryk hizo un vehemente gesto afirmativo con la cabeza y Uri lo soltó.

Mientras nos alejábamos, le dije a Uri:

—¿Vendrá un ángel a buscar a Jon?

Esto lo había oído debajo de la alfombra, por la noche. Cuando te morías, un ángel venía a buscarte y te llevaba a un lugar llamado Cielo. Enos, que me había oído, se burló:

—Sí, aquí viene el ángel.

Era un caballo, tan flaco que parecía hecho de palos y bolsas de papel. Llegaba al paso, chapoteando cansinamente en el fango y la nieve de la calle. Iba conducido por dos hombres andrajosos y tiraba de un carro que transportaba un cadáver desnudo. Volvimos la vista. El caballo se detuvo ante Jon. Uno de los hombres lo agarró por los pies y lo arrastró hasta el carro. El otro lo sujetó por los sobacos; ambos se pusieron a balancearlo delante y detrás. Me recordó a las huérfanas saltando a la comba. De repente soltaron a Jon: éste describió un corto arco en el aire y cayó encima del otro cadáver. El carro continuó su camino.

—¿Adónde lo llevan? —pregunté.

—¿Dónde crees? —dijo Enos—. Al Cielo que se va.

Yo le creí:

—¿Y allí qué sucede? —pregunté.

Kuba se rió y exclamó:

—¡Que se convierte en un Botas!

Los otros se rieron a carcajada limpia, incluso Uri.

Me sentía confuso:

—Pero está muerto.

—Ya no —dijo Ferdi.

—Nadie está muerto en el Cielo, ¿verdad, Uri? —dijo Kuba. Todos miraban a Uri. Éste guardo silencio.

—¡Te bombean el aire que has perdido y como nuevo! —dijo Kuba. Más risas.

Enos levantó los puños y gritó:

—¡Tres hurras por el Cielo!

Todo el mundo gritó salvo Uri; incluso el Gran Henryk. Después nos quedamos callados un buen rato. Los únicos sonidos provenían del Gran Henryk, que probaba sus nuevos zapatos, traqueteando con ellos como un jamelgo en el barro y la nieve. Cuando salpicaba los tobillos de los viandantes nos echaban miradas iracundas.

Pero alguien nos dio más que eso. Un Zurro.

Había Zurros por todas partes. Los Botas los contrataban para que vigilaran a los judíos en el gueto. Lo más extraño de todo era, sin embargo, que los Zurros también eran judíos. Judíos vigilando a judíos. No tenía sentido para mí.

A los Zurros no se les permitía llevar armas, pero iban provistos de un silbato y una porra de madera tan larga como mi brazo. Vestían uniformes, pero no les sentaban mejor que a nosotros nuestra ropa. Nada de botas altas ni de águilas plateadas. Y además, como eran judíos, naturalmente llevaban brazaletes.

Así que este Zurro se acercó a nosotros y empezó a gritar blandiendo su porra:

—¡Brazaletes! ¡Brazaletes!

Hicimos lo que siempre hacíamos en esos momentos: dispersarnos como cucarachas. Pero esta vez pescaron a uno de nosotros: al Gran Henryk. El Gran Henryk chapoteaba con sus zapatos nuevos y no se dio cuenta de nada hasta que el Zurro lo agarró por el brazo. Oí un bramido y me detuve para mirar hacia atrás. El Gran Henryk estaba de pie frente al Zurro, sujetándose la cabeza con ambas manos, mientras el Zurro le gritaba y blandía la porra delante de su cara. El Zurro era pequeño y escuchimizado: tenía que levantar la vista para mirar al Gran Henryk a la cara mientras le gritaba.

Entonces vi un destello de pelo rojo. Era Uri que llegaba por detrás del Zurro. Le sujetó la porra y, dándole un empujón, le tiró de espaldas sobre la acera.

Mientras tanto, la gente que estaba al otro lado de la calle fingía no ver nada. Ahora la porra estaba en manos de Uri, y el Gran Henryk se limitaba a quedarse de pie ahí y mirar. Y fue un momento después cuando Uri le atizó al Zurro en lo alto de la cabeza. Justo así: *¡zuck!*. Exactamente con el mismo ruido que oíamos cuando estábamos en el patio.

Ahora era el Zurro el que se agarraba la cabeza y se revolcaba por la acera. Esto le debió hacer gracia al Gran Henryk, porque le quitó la porra a Uri y se atizó él mismo en la cabeza. Esto, a su vez, debió hacernos mucha gracia a los demás, porque de repente todos estábamos saliendo de las sombras, pasándonos la porra unos a otros y atizándonos en la cabeza con la suficiente fuerza como para ir tambaleándonos hasta donde estaba el aturdido Zurro. Cuando éste perdió el equilibrio del todo y se desplomó de nuevo, nos dedicamos a otras cosas. Le quitamos los zapatos y los tiramos al otro lado de la calle; los viandantes que estaban agrupados allí no tardaron en hacerse con ellos ni un segundo. Después le tocó el turno a la chaqueta y luego a sus pantalones.

—Agárralo por los pies —le dijo Uri a Enos. Éste lo levantó de los pies, Uri lo sujetó de los brazos y, aunque yo me estaba divirtiendo muchísimo, pensé: *Uri, no eres invisible.* Lo balancearon como si se tratara de una cuerda de saltar, del mismo modo que los hombres del carro habían balanceado el cuerpo de Jon, y lo arrojaron por el aire hasta que aterrizó en la cuneta con un chapoteo fangoso. Uri se agachó, tomó la porra del Zurro y la tiró bien lejos entre los escombros, mientras el vigilante permanecía despatarrado entre la nieve y el barro, en paños menores. Como antes, nadie pareció darse cuenta de nada al otro lado de la calle.

22

PRIMAVERA

—Aquí viene el tío importante —dijo Enos cara de vinagre.

—El nuevo judío —dijo Kuba el payaso.

—El hombre de familia —dijo Ferdi. Su cigarro se balanceaba en la boca mientras hablaba.

—¡El judío más pequeño! —dijo Enos—. Nos honras con tu presencia.

Se puso de pie y me hizo una reverencia.

Uri sonrió.

Yo no dormía todo el tiempo con los chicos. En ocasiones, y a pesar de las objeciones del tío Shepsel, pasaba la noche en el cuarto de los Milgrom. Cuando volvía con los chicos, me daban codazos. Había que escalar montañas de escombros para llegar hasta la alfombra. Ahora dormíamos sobre ella. Era primavera.

Desde el momento en que el señor Milgrom dijo "Ahora sí", mi identidad de gitano se desvaneció.

Allá que se fueron las siete carretas, los siete hermanos, las cinco hermanas y Greta, la yegua moteada. En lo profundo de mí supongo que siempre había sabido que la historia de los gitanos no era otra cosa que un cuento de Uri, no la realidad. No la echaba de menos. Cuando no tienes nada, es fácil dejar que las cosas se vayan. Supongo que mi apellido era ahora Milgrom, así que Pilsudski también se fue. Conservé Misha.

También conservé otra cosa: la piedra amarilla que colgaba del cuello. La piedra amarilla que mi padre me había dado. Sabía, como si siempre lo hubiera sabido, que eso era la parte verdadera de la historia de Uri.

Estábamos tendidos tan ricamente en la alfombra, boca arriba, con las manos detrás de las cabezas, muy tranquilos, disfrutando del aire casi tibio y mirando a las estrellas que desaparecían. Pronto quedó sólo la luna y una estrella. Una franja de azul huevo de petirrojo surgió más allá de los escombros: amanecía.

Ahora éramos seres nocturnos. Todos nos dedicábamos al contrabando, hasta el Gran Henryk. El contrabando era una cosa nocturna.

Ferdi hizo circular su cigarro. Chupamos, exhalamos y tosimos por turno. Las estrellas se hacían borrosas más allá del humo del puro.

—¡Viene Himmler!

Estas palabras fueron seguidas por el silencio de la sorpresa ya que las había pronunciado el Gran Henryk que, aunque a menudo mugía como una vaca, casi nunca decía nada.

Por fin, Enos preguntó:

—¿Himmler? ¿*El Himmler*?

—Viene Himmler —repitió el Gran Henryk.

—No lo creo —dijo Enos.

—¿Por qué viene? —preguntó Olek el manco.

Enos preguntó a Uri.

—¿Por qué crees *tú*?

Uri tenía el puro. Dejó escapar una bocanada de humo hacia las estrellas y dijo:

—Supongo que Himmler puede ir donde le dé la gana.

—¿Quién es Himmler? —pregunté.

Enos se rió.

—Pues el Botas Número Dos, nada menos —dijo Kuba, que se había sentado en una pila de ladrillos.

—Puedes agradecerle a Himmler este maravilloso dormitorio —dijo Enos—. Y los gruñidos de tu estómago. Y los cuerpos en las calles. Y el muro.

—Himmler el Trolas —dijo Kuba.

—Podemos darnos por muertos —dijo Enos.

—¡Himmler viene! —bramó el Gran Henryk.

El sol salió y nos fuimos a dormir; nos levantamos más o m⁻nos al mediodía y cada uno salió por su cuenta. Yo busqué a Himmler por todas partes: no lo vi. Estaba decepcionado. Quería echarle una mirada al Botas Número Dos. Había oído cosas de un hombre llamado Hitler, el jefe de todos los Botas, a los que también llamaban nazis. Pero era Himmler, había dicho Enos, el que estaba a cargo del gueto. A cargo de los judíos. A cargo de nosotros.

Por lo general, era comida lo que les llevaba a los Milgrom. Esta vez fueron noticias:

—¡Viene Himmler! —anuncié.

Después de ofrecerme el saludo habitual "Ah, el intruso oloroso", el tío Shepsel me miró de arriba abajo y añadió:

—¿Dónde tienes la comida?

El señor Milgrom estaba sajando un furúnculo en la pierna de su esposa:

—Shepsel, un poco de gratitud no estaría de más.

—¡Odio a Himmler! —dijo Janina. Estaba jugando a tirar y a recoger palillos en el suelo. Los había traído de la antigua casa.

—¿No quieres verle? —dije.

—Si le veo —dijo ella—, no voy a poder contenerme. Me voy a plantar a su lado y le voy a atizar una patada.

Para enseñarme lo que iba hacer le dio una patada a la mesa.

—¿Quién dice que viene? —preguntó el tío Shepsel.

El Gran Henryk —respondí.

—¿Quién es el Gran Henryk?

—El grandullón —respondí—. No está acostumbrado a ponerse zapatos. Ahora lleva los de Jon, que ha muerto.

—Ya tengo bastante —dijo el tío Shepsel—. ¿Vas a ir a por algo de comer?

—Ahora no —contesté.

—Tengo hambre ahora.

El señor Milgrom le cortó con un seco:

—¡Shepsel!

El tío Shepsel volvió arrastrando los pies a su rincón habitual. El señor Milgrom terminó con el furúnculo y ayudó a su esposa a sentarse, con la espalda contra la pared. La señora Milgrom estaba ahora gris y flaca. Ya no trabajaba en la factoría de uniformes. Se inclinaba hacia un lado cuando andaba y su pelo parecía un estropajo. Tenía el aspecto de las muñecas de trapo que había visto llevar a las huérfanas del doctor Korczak. Tosió tan fuerte que se dobló en dos. Su esposo la ayudó a enderezarse de nuevo.

El señor Milgrom se puso en pie y se acercó a mí arrastrando los pies. Sabía que quería hablarme. Siempre que iba a decirme algo se acercaba. Y nunca hablaba conmigo sin tocarme. A veces me ponía la mano en la cabeza y otras me recorría los hombros con los dedos. También lo hacía con Janina. Siempre sonreía cuando hablaba con nosotros.

—Eres un buen chico.

Seguro que estaba a punto de elogiarme más, pero Janina lo interrumpió.

—¿Y yo soy una buena chica? —dijo apretándose contra sus piernas.

El señor Milgrom puso la otra mano sobre su cabeza y respondió:

—Los dos sois buenos. Sois los mejores niños del mundo.

—Pero, ¿quién es mejor? —preguntó Janina—. ¿Misha o yo?

El señor Milgrom nos miró y su sonrisa pareció duplicarse para que, tanto su hija como yo, tuviéramos una ración completa. Fingió que pensaba cuidadosamente la respuesta.

—Ninguno es mejor —dijo por fin—. Hay empate.

Janina golpeó el suelo con el pie y respondió:

—¡Papá! No puede haber empate. Alguien *tiene* que ser el mejor.

—¿Quién lo dice? —respondió su padre.

—¡Papá! ¡Gano a Misha siempre que echamos una carrera! (Esto era mentira. Era yo el que ganaba siempre. Janina mentía mucho).

—Y soy la mejor jugando con los palillos.

(Cierto).

—Y mira —dijo, e intentó abrirse de piernas en el suelo.

—Y *mira* —ahora se aplicó a hacer el pino. Durante algunos segundos sus pies se elevaron unas pulgadas. Los zapatos, llenos de pegotes de barro, estaban destrozados. Sus pies volvieron al suelo. Se levantó y dijo orgullosamente:

—¿Lo ves?

En su imaginación había hecho una magnífica proeza.

—¡Puedo mantenerme así durante toda una hora si quiero!

El señor Milgrom asintió con la cabeza y contestó:

—Muy impresionante. Pero sigue siendo empate.

Janina se puso a dar patadas en el suelo y empezó a berrear. El señor Milgrom levantó un dedo y la niña se quedó en silencio. Cuando su padre bajó el dedo volvió a empezar. El señor Milgrom lo levantó otra vez. Janina enmudeció de nuevo.

—¡Pero papá, tú dijiste que era maravillosa! ¿Lo recuerdas?

—Lo recuerdo —respondió su padre—. Y lo decía en serio.

Janina me sacó la lengua y afirmó:

—*Soy* maravillosa.

—Y también él —dijo el señor Milgrom.

—Pero yo soy *más* maravillosa, ¿no, papá?

—Ambos sois igualmente maravillosos —dijo el señor Milgrom—. Cada uno de vosotros es maravilloso a su propia manera.

—¿Por qué soy maravillosa, papá?

Su padre se dejó caer en la silla con un suspiro. Siempre estaba cansado. Había dejado de sonreír y, sin embargo, parecía que lo seguía haciendo.

—Tú —dijo apretando la punta de la nariz de su hija con el dedo— eres una niña maravillosa. Y él es un niño maravilloso.

Janina me miró. Era la única persona que tenía que levantar la vista para mirarme. Me estudió, se volvió de nuevo hacia su padre y preguntó:

—Pero una niña maravillosa es mejor que un niño maravilloso, ¿no, papá?

El señor Milgrom se retorció en la silla. Sacudió la cabeza y, sujetando a Janina por los hombros le hizo dar la vuelta; con un suave cachete en el trasero, contestó:

—Vete a jugar a los palillos con Misha.

Nos acabábamos de sentar con las piernas cruzadas en el suelo, con los palillos entre nosotros, cuando oímos voces en el patio. No podía distinguir lo que decían. Fui hacia la ventana, saqué la cabeza por ella y entonces sí que lo oí:

—¡Viene Himmler!

23

Janina se quedó berreando mientras yo me precipitaba escaleras abajo hacia el patio, buscando la calle. Estaba empeñada en darle de patadas a Himmler, y fue necesario que su padre y el tío Shepsel se emplearan a fondo para sujetarla.

Yo iba de unos a otros, preguntando:

—¿Dónde está Himmler?... ¿Dónde está Himmler?

Seguí dedos que señalaban a una calle y a otra, hasta que vi los coches que avanzaban despacio. Un desfile de vehículos. Coches enormes, magníficos, con las capotas bajadas. Los coches tenían uniformes propios: eran grises y plateados y no sonreían, como los hombres que se sentaban en ellos. Los carros de los buhoneros se apartaban de su camino. Me sorprendió que la gente no saliera en masa de los edificios para ocupar las aceras. Un pequeño grupo permanecía inmóvil, con los sombreros en la mano, mirando al cielo. Otros andaban mirando fijamente hacia adelante, tal como hacía un hombre de cuya manga tiré.

—¿Dónde está Himmler? ¿Dónde está Himmler?

El transeúnte siguió caminando como si yo no estuviera allí. Sólo los Zurros miraban el desfile. Permanecían firmes con el brazo derecho extendido hacia delante, el saludo de los Botas, como si intentaran alcanzar algo más que nadie podía ver. La brisa agitó la esquina de un periódico que cubría un cadáver cercano.

Empecé a sentir pánico. Me colgaba de la gente, les tiraba de las mangas:

—¿Cuál es Himmler?

Nadie contestaba.

Me puse a trotar siguiendo los coches. Miraba con toda la atención del mundo aquellos hombres magníficos que mantenían impertérritos la vista al frente.

En sus gorras de Botas las grandes águilas plateadas extendían las alas y parecían mirar desafiantes a la gente, retándoles a que hicieran algo más. Sus alas eran como las de los ángeles, excepto en que las alas de las águilas estaban plenamente desplegadas, volando.

Empecé a gritar a los hombres que ocupaban los coches.

—¿Es usted Herr Himmler?

Algunos me miraban. Ninguno contestó. Yo corría de coche en coche.

—¿Es usted Herr Himmler?

De repente vi a uno, vi al Botas más magnífico que jamás había visto sentado en el asiento trasero del primer coche. *¡Tiene que ser él!* Su postura era impecable, mejor incluso que la mía en el patio, y él estaba sentado.

De su gorra adornada con el águila escapaban rizos rubios. Su cabeza parecía haber sido tallada en piedra; con su mandíbula tenía todas las armas que jamás necesitaría.

—¡Herr Himmler! —grité.

—¡Herr Himmler!

No se movió.

Pero lo hizo otro. El Botas del asiento delantero volvió ligeramente la cabeza, lo bastante para que uno de sus ojos me contemplara durante un momento. Era un ojo demasiado grande, porque estaba amplificado tras la gruesa lente redonda de su monóculo. Lo único magnífico de este hombre era su uniforme. Vi la mitad de un pequeño bigote negro que parecía gotearle de las narices, un cuello esmirriado y una cabeza que parecía más una bolita de masa que unas facciones talladas en piedra. ¿Podía ser éste Himmler? *¿El Botas Número Dos?* ¡De ninguna de las maneras!¡Si era igualito que el tío Shepsel!

Se me ocurrió cuál podía ser el modo de salir de dudas: sus botas. Seguramente los pies de Himmler, Señor de Todos los Judíos, debían de calzar las botas más magníficas de todas. Quizá cubrían completamente sus piernas. Quizá tuvieran águilas plateadas. El desfile iba cada vez más deprisa, así que corrí para mantenerme al mismo nivel y grité:

—¡Herr señor! ¡Permítame ver sus botas! ¡Herr señor!

Y de repente me vi en el suelo: me había tropezado con alguien. Al levantarme me encontré con una porra que oscilaba delante y atrás, ante mis ojos, y oí un ruido de beso, muy fuerte. El olor de la menta lo invadía todo. Más allá de la porra que se balanceaba, el desfile atravesó una puerta abierta en el muro y desapareció.

Sabía quién estaba al otro extremo de la porra, pero levanté la vista. Era Bufo. Bufo era el peor Zurro de todos. Era el único que verdaderamente me daba miedo. Todos le temíamos.

Nadie tenía ni idea de cómo era una existencia de alguien como Bufo. No parecía que pudiera ser un judío, pero tampoco era un Botas. Los chicos decidimos creer que era un salchichero de Varsovia: su aspecto era el de un montón de salchichas rechonchas. Odiaba tanto a los judíos que fingía ser uno de ellos para vivir en el gueto. Allí se había convertido en Zurro y atormentaba a los judíos a plena satisfacción.

Bufo no llevaba armas: los Zurros no podían llevarlas, pero no le importaba. No hubiera disparado a nadie aunque hubiera podido. Llevaba su porra. Decía que le encantaba el sonido de su porra reventando un cráneo como si fuera una calabaza. Pero esto no era cierto. Raramente la usaba. Sus auténticas armas eran las manos. Le gustaba matar judíos con las manos desnudas más que nada en el mundo. Y no judíos sin más: niños judíos. Si eras un judío adulto, te dejaba pasar a su lado, pero se desviaba de su camino si se trataba de niños. A veces dejaba las calles y anadeaba por callejones y zonas de escombros, golpeando suavemente su muslo con la porra, acechando. Cuando daba con alguna posible víctima, le daba un beso a su porra. Afortunadamente era gordo y lento. Pero si se las arreglaba para agarrarte o para acorralarte, se servía de la porra para aturdirte. Después se la metía en el cinto y agitaba los dedos gozando por anticipado del festín que se avecinaba.

Siempre olía a menta. No de mascar chicles o caramelos, sino de hojas de menta. Las masticaba como otros mastican tabaco. Había siempre diminutos trocitos de menta en sus labios. Si notabas ese olor, sabías que ya se encontraba muy cerca. En realidad, ése era el motivo de la frase que solíamos pronunciar cuando Bufo asesinaba a un niño: "Olió la menta".

Su forma favorita de matar era apretarte la cara contra su barriga sin fondo y asfixiarte. Cuando esto sucedía, el olor de menta permanecía en el cuerpo hasta que el carro venía a por ti.

Creo que Bufo me odiaba más que a ningún otro. Era el único que había estado lo suficientemente cerca como para oler la menta y había vivido para contarlo. Aunque me producía terror, lo acosaba sin descanso. No podía evitarlo. Le llamaba gordinflón, saco de grasa. Yo carecía de sensatez. Si la hubiera tenido, habría sabido lo que los otros niños no olvidaban nunca, que la mejor defensa contra Bufo era la invisibilidad. No permitir jamás que notara tu presencia.

¿Yo? Si le veía anadeando por la calle, me colocaba detrás de él silenciosamente y le gritaba "¡gordinflón!". Se ponía rojo de ira, se volvía habiendo reconocido mi voz -su mosquito personal- y, mientras la porra oscilaba, yo me ponía a buen recaudo. Eso sí, sin dejar de gritarle:

—¡Tienes las orejas llenas de pelos!¡Gordinflas!

Le insultaba, le hacía burla y me perdía entre la multitud.

Y ahora allí estaba, cerniéndose sobre mí, sonriendo y besando su porra, y eso me daba todo el tiempo que necesitaba para largarme, pero no podía. No podía porque Bufo aplastaba mi pie contra el suelo con su bota (una bota agrietada, cubierta de barro, nada *Botas*). Grité de dolor. Se rió. Oí el ruido de la porra al caer sobre las baldosas: no iba a usarla. Iba a ahogarme en su panza. Sus carnosas manos me agarraron de los hombros. Yo, entretanto, mareado por la menta. Mi nariz se hundió en su tripa. Y, de repente, estaba libre: había conseguido sacar mi pie del zapato que estaba debajo de su bota, de la bota con que Bufo me mantenía clavado al suelo, y ahora corría, esquivando a la gente. Cuando me sentí seguro, me detuve y me senté en la cuneta. Se la había jugado de nuevo a Bufo, seguía vivo. Me quité el otro zapato y lo tiré. Era primavera. Cuando volviera el frío, ya robaría otro par.

Esa noche, en la alfombra, me reí mientras les contaba a los chicos los detalles de mi breve encuentro con Bufo.

Uri, que no se había reído, dijo:

—¡No!

—¿No qué? —pregunté.

—No tientes a Bufo.

—¿Por qué? —volví a preguntar.

Uri me golpeó, fuerte, tres veces.

—¡No! —repitió. El resto de los chicos permaneció en silencio.

Me di la vuelta para dormir. Nunca dije nada del hombre que no podía haber sido Himmler.

24

—Encuentra la vaca —había dicho el doctor Korczak.

Fue la única vez que el doctor Korczak se mostró serio conmigo.

Siempre que le llevaba comida del otro lado del muro para los huérfanos la recibía feliz, me daba golpecitos en la cabeza y decía:

—¡Mi pequeño contrabandista!

Cuando me volvía para irme, nunca dejaba de advertir:

—¡Ten cuidado!

Un día añadió:

—Encuentra la vaca.

De ahí en adelante, siempre que le veía me decía:

—Encuentra la vaca.

La vaca se había convertido en algo en lo que creer o no creer. Como los ángeles. O las madres. O las naranjas. ¿Cómo podía vivir algo del tamaño de una vaca en el gueto y pasar desapercibida? ¿Cómo podría sobrevivir? ¿Qué comería? ¿Escombros?

Y sin embargo era tan grande la necesidad de leche que tenían los niños que la vaca parecía materializarse del hambre misma de la gente, hasta que uno casi podía ver al animal trotando calle abajo. Desde luego nadie la había visto, pero cuanto menos la veíamos más creíamos en ella. Casi todos los días alguien proclamaba haber oído un misterioso *muuú*.

Llegó, naturalmente, el día en que Janina dijo que la había oído.

—No, no la has oído —dije, nada más que por llevarle la contraria.

Janina siempre estaba inventándose cosas.

—¡La he *oído*! —protestó. Estábamos jugando a los palillos y los apartó de un manotazo.

—Te estás comportando como un bebé —dije.

—Y tú eres una caca —respondió.

El tío Shepsel levantó la vista del libro que estaba leyendo y le dijo a Janina con un gruñido:

—La vaca no existe.

Leer un libro que había encontrado era todo lo que el tío Shepsel hacía por entonces. Cuando llegaba al final, volvía a la primera página y empezaba de nuevo. Farfullaba en voz baja mientras leía. Era un libro sobre los luteranos. Estaba aprendiendo a ser luterano por su cuenta. Cuando lo consiguiera, dejaría de ser judío y le permitirían salir del gueto.

El señor Milgrom le dijo:

—No puedes dejar de ser judío.

El tío Shepsel respondió:

—Ya lo he hecho. Ahora soy luterano.

Cuando le gruñó a Janina que la vaca no existía, yo me puse de su parte:

—Sí, sí existe —dije—. También yo la he oído.

Hasta entonces había tenido mis dudas, pero desde aquel momento creí en la vaca (ya me había ocurrido antes: parecía que cuando me oía a mí mismo decir algo tenía que creer en ello). Algunos días después de la primera vez que el doctor Korczak dijo: "Encuentra a la vaca", mi creencia quedó confirmada.

Pero no daba con ella. Miré por todas partes: patios delanteros, patios traseros, sótanos, escombros. Nada de vacas. Nada de *muuús*.

—No encuentro la vaca —me quejé a los chicos un día.

—Eso es porque no existe, estúpido —dijo Enos.

El Gran Henryk bramó:

—¡Vaca no!

Kuba trepó por el Gran Henryk, se sentó en uno de sus hombros y dijo:

—Apuesto a que el Gran Henryk está mintiendo.

Kuba se inclinó hacia delante y quedó cabeza abajo, frente al rostro del Gran Henryk:

—Gran Henryk, ¿crees que hay una vaca?

El Gran Henryk, oscilando bajo el peso de Kuba, dijo:

—¡Sí!

Todos nos reímos porque sabíamos que su respuesta no probaba nada. El Gran Henryk no era sólo el chico más grande, sino también el más agradable. Decía que sí a todo.

Ésa era nuestra señal para jugar al juego del Gran Henryk.

—Gran Henryk, ¿crees que eres el mayor bobo del mundo entero?

—¡Sí!

—Gran Henryk, ¿crees que eres un bebecito chiquirritito?

—¡Sí!

—Gran Henryk, ¿vamos a dormir está noche en un castillo, en grandes y blandas camas, y vamos a comer todos los bombones que queramos y los Botas serán nuestros criados?

—¡Sí!

—Pregúntale si cree en Bufo —dijo Enos—. O en Himmler.

—Gran Henryk, ¿crees en Himmler?

Me metí por medio:

—Yo no —dije—. Himmler no existe.

Y les hablé por fin del desfile de coches magníficos y de cómo había gritado el nombre de Himmler y el único que se había vuelto era un hombre con aspecto de gallina en el asiento delantero, que sólo había vuelto un ojo hacia mí para mirarme desde detrás de su monóculo.

—Ése era Himmler —dijo Uri.

—No puede ser —dije yo—. Parecía mi tío Shepsel.

—Era él —repitió Uri.

Así que Himmler, el Botas Número Dos, el Amo de Todos los Judíos -por no decir nada de los gitanos-, era una gallina de un solo ojo. En ese momento empecé a perder el respeto por los Botas. Ya no quería ser uno de ellos.

25

VERANO

En el pelo de Janina ya no había lazos, ni calcetines en sus pies. Las tiras de sus zapatos estaban rotas y bailoteaban cuando caminaba. Los zapatos se habían convertido en pingajos cubiertos de barro. Intenté sacarles brillo con saliva, pero estaban demasiado sucios. El mejor reflejo que había visto de mí mismo desapareció con el brillo de sus zapatos.

Janina lloraba mucho, y pateaba, y gritaba. A veces le pedía a gritos a su madre:

—¡Mamá, mamá, hazme un huevo marinado!... ¡Házmelo!... ¡Házmelo!

Le gustaban los huevos marinados más que nada en el mundo, dijo, pero su madre continuó tumbada en el colchón de la esquina del cuarto con la espalda contra la pared.

Janina reía tanto como lloraba. Pero no se limitaba a reírse, aullaba. Especialmente cuando le decía que Himmler parecía el tío Shepsel. Nos sentábamos en el suelo despiojándonos el uno al otro por turnos. El tío Shepsel acababa por comentar:

—Parecéis monos.

Yo entonces le susurraba a Janina:

—Himmler parece el tío Shepsel.

Y Janina se echaba a reír tan fuerte que se golpeaba la cabeza en el suelo, los piojos volaban en todas direcciones y, como el golpe le había dolido de verdad, no sabía si reír o llorar, así que terminaba haciendo ambas cosas.

Un día que estaba en el patio, Janina vino corriendo hasta mí:

—¡He encontrado la vaca! —gritó. Me agarró de la mano y salimos a la carrera. Me condujo hasta una heladería bombardeada con dos paredes aún en pie. De una de ellas colgaba un cuadro torcido, el cuadro de una vaca.

A menudo me hacía jugarretas como ésa. En una ocasión me convenció de que le prestara mi colgante de piedra amarilla. Lo llevó durante días. Cuando le pedí que me lo devolviera, lo arrojó por encima del muro. Yo no podía creerlo.

Estaba tan furioso que tiré las bolsas de regalos que me había dejado en los escalones de su antigua casa por encima del muro. Ella lanzó mi gorra por encima del muro.

Se había traído de su antigua casa un animal de juguete, un cerdo de juguete, azul y oro. Lo escondió. Lo encontré y voló por encima del muro.

No dijo más. Añadió, sin embargo, que aunque tirara sus cosas iba a regalarme algo nuevo. La creí. Me sentí mal. Dijo que mi nuevo regalo ya estaba bajo mi manta. Fui a mirar. Era un hueso de rata.

Le gustaba desafiarme a que la persiguiera. Lo hiciera yo o no, siempre corría. Si no la perseguía, se detenía, me hacía burla poniéndose el pulgar en la nariz y me llamaba "furripurri", fuera eso lo que fuera.

A veces yo estaba en el patio, ella se asomaba por la ventana y me tiraba un nabo a la cabeza. Yo recogía el nabo, me lo metía en el bolsillo y me iba tras ella. Cuando conseguía alcanzarla, la zarandeaba y le decía que no tratara nunca la comida de ese modo. Todo lo que hacía Janina era reírse, así que le frotaba el nabo sucio por la cara y la zarandeaba más, y cuanto más fuerte la zarandeaba más fuerte se reía ella.

Me acostumbré tanto a oír los ruidos que hacía -charlotear, gimotear, mortificarme, reír, llorar- que seguía oyéndolos incluso cuando se callaba. Un determinado día sentí que algo no iba bien, pero no sabía qué. No sabía que era la ausencia de

Janina. No la oí durante todo el día, ni la vi esa noche cuando, como de costumbre, la actividad cesó. La bombilla había dejado de funcionar por completo. El final de la luz del día era también el final de nuestra luz. Ya no había más llamadas en la puerta del señor Milgrom en busca de píldoras y pociones. El tío Shepsel había dejado aparte el libro que le iba a servir para convertirse en luterano. La señora Milgrom no tenía que interrumpir lo que había estado haciendo porque no hacía nada. Yacía en el colchón todo el día, toda la noche, dándonos la espalda. Sólo se movía cuando tosía.

Por lo general, Janina seguía jugando a los palillos en la oscuridad -a tientas- hasta que su padre la llamaba por su nombre; entonces interrumpía el juego y se tendía sobre el abrigo junto a mí. Pero aquella noche ya estaba tumbada cuando yo me eché. Ahora yo dormía casi todas las noches con mi nueva familia. El señor Milgrom siempre nos deseaba las buenas noches, primero a Janina, luego a mí. Yo esperaba ansiosamente ese momento, porque nunca nadie me había deseado las buenas noches. En esta ocasión, no hubo respuesta cuando le dio las buenas noches a su hija. Como de costumbre esperé hasta que todo el mundo estuvo dormido. Me gustaba hacerlo. Me gustaba pensar que si alguien me oía salir me lo prohibiría. Me levanté y me arrastré por el cuarto. Lo hacía casi todas las noches. Bajé de puntillas las escaleras y salí al patio iluminado por la luna, y de ahí a la calle. Mi instinto me dictaba ser arrogante, incapturable, pero también me gustaba ser sigiloso. Las calles estaban desiertas, pero yo sabía que era sólo en apariencia. Sabía que en algún punto del muro, el Gran Henryk se erguía tanto como podía con Kuba en los hombros. Que Kuba echaba dos gruesos abrigos sobre el alambre de espino, que se aupaba sobre el muro y que bajaba al otro lado. Entonces echaba por encima del muro la soga de la que el Gran Henryk se serviría para subirle de vuelta.

Sabía que debajo de mis pies, en las cloacas donde nunca llegaba la luz del día, donde vivían las ratas y fluían ríos inmundos, Enos, Ferdi, y el manco Olek se deslizaban hacia el muro, dando chupadas a los puros de Ferdi para tener la brasa como punto de referencia y para disipar un poco la fetidez.

Sabía que todos hubieran querido venir conmigo. Hubieran querido meterse por el espacio de los dos ladrillos. Y en cuanto a Uri... quién sabe. Andaría por algún sitio, haciendo algo.

Fui pasando velozmente de sombra en sombra hasta que sólo estuve a una calle de distancia del muro. Me quedé en la sombra de un portal. La noche resplandecía más allá del alambre de espino. Unos cuantos sonidos flotaban en ella: un tintineo, una voz, un fragmento de música. Me incliné en busca de patrullas de Zurros. Alguien estaba de pie a la luz de la luna, a un brazo de distancia. No podía creerlo.

—¡Janina!

—Te seguí.

Hacía muecas. Tiré de ella para meterla en el portal.

—Vuelve —dije.

—No.

—*Vuelve.*

—Voy contigo.

Sus ojos eran dos gotas de luz de luna.

—No eres lo bastante pequeña —dije estúpidamente.

—Soy más pequeña que tú.

—No te llevo.

—¡Tienes que hacerlo! Eres mi hermano mayor.

Eso me detuvo durante un momento y me dio la razón que necesitaba para no permitírselo.

—¡No!

—¡Sí!

Le pegué una bofetada. Las dos gotas de luna se desplazaron por el impacto.

Me la devolvió.

Y eso fue todo.

Crucé la calle corriendo hasta llegar al muro y, en un momento, atravesé el espacio de dos ladrillos y me puse de pie en el otro lado. Un instante después Janina me siguió a través del agujero.

26

Janina se quedó con la boca abierta:

—El resto de la ciudad... ¡todavía está ahí!

Corrí hasta ella. Le quité el brazalete de la manga y se lo metí en el bolsillo del abrigo. Hice lo mismo con el mío:

—Ya lo ves, haces que me olvide.

Me di la vuelta y eché andar.

No era bueno ser visto cerca del muro. Me metí por las callejuelas laterales. Oía sus pisadas detrás de mí. Yo andaba deprisa. Quizá no pudiera impedirle seguirme, pero no tenía intención de convertirla en socia de pleno derecho.

Pronto estuvimos entre la gente, las voces y los sonidos que pasaban flotando por encima del muro. En el gueto todo era gris: la gente era gris, los sonidos eran grises, los olores eran grises. Aquí, por el contrario, todo parecía colorido: la roja campana de los tranvías, la música azul de los fonógrafos, la risa plateada de la gente. En la distancia, la algarabía del tiovivo era un torbellino de colores. Siempre que atravesaba el muro, lo único que quería hacer era andar por la calle.

Recordé las palabras de Uri: *No muestres aspecto culpable.* Caminaba contoneándome por la acera. Me dirigía sin dudar hasta otros viandantes y les hacía esquivarme, silbaba. En otras palabras, ignoraba las órdenes de Uri: *No llames la atención sobre ti. Hazte invisible.* O puede que sí le hiciera un poco de caso. Resistí la tentación de volver a ponerme el brazalete azul y blanco. Estaba orgulloso de ser parte de la familia Milgrom, orgulloso de ser judío. Quería agitar mi brazalete y gritar: *¡Hola a todo el mundo, miradme, soy judío! ¡Un sucio hijo de Abraham!* Pero no lo hice. Oí a Janina silbando detrás de mí. Me dirigía a mi lugar favorito. Era un hotel para Botas. Los Botas comían, bebían cerveza y dormían allí. Una silueta de neón azul con forma de camello se encendía y se apagaba sobre una puerta giratoria. Hice lo que siempre hacía: me metí en la puerta giratoria y giré hasta que salí de nuevo. Janina se metió detrás de mí, pero se puso a dar vueltas y más vueltas. La saqué de allí de un tirón. Me volví por donde había venido. Cubos de basura tan altos como yo se alineaban igual que soldados en formación. Como de costumbre, las tapas estaban levantadas y un grupo de niños hurgaba entre la fetidez y las larvas. Estaban demasiado ocupados para advertir mi presencia. La trampilla que conducía al sótano de la comida estaba cerrada, como de costumbre. Pero a nivel del suelo había varias ventanas. Los cristales estaban protegidos por barrotes de acero.

Me agaché delante de una de ellas y la abrí de un empujón. Me quité el abrigo y lo tiré dentro. Me coloqué de lado, me escurrí entre los dos barrotes y me dejé caer de cabeza en la penumbra de la bodega. No le di ninguna importancia. Vivía en las grietas de un mundo hecho para gente lenta y grande. Cuando me inclinaba para recoger mi abrigo, el de Janina me golpeó en la espalda. Unos momentos después cayó ella, con un revuelo de enaguas.

—¡Au! —exclamó.

—¡Silencio! —le ordené—. Te tendrías que haber quedado en casa. Extraje el saco de mi bolsillo y lo desplegué.

—¿Para qué es eso? —preguntó.

—Comida —respondí.

—Yo no tengo.

—Mala suerte.

—¿Dónde están los huevos marinados?

—No hay.

Yo no habría reconocido un huevo marinado aunque me lo hubieran puesto delante de las narices.

Janina empujó una lata de café de gran tamaño de un estante y la tiró al suelo.

Blandí mi puño frente a su cara:

—¡Ya está bien! ¡Van a oírnos!

Levantó la barbilla hacia mí, desafiante, y contestó:

—No me gustas.

Empecé a hacer mi ronda. La despensa del hotel del Camello Azul tenía un problema: gran parte de la comida venía en latas y tarros demasiado grandes y pesados para llevarlos mucho rato, así que me concentraba en las cosas más pequeñas y ligeras. Había cajones de cebollas, lechugas, nabos y coles. Cajas de galletitas saladas y pilas de hogazas de pan negro y pan moreno. Viejos pescados secos, gelatinas y patatas retoñadas. Yo evitaba el refrigerador donde se guardaba la carne fresca, porque no teníamos forma de cocinarla, pero las ristras de salchichas ahumadas resultaban perfectas. Cuando tuve el saco lleno, llegó el momento de mi banquete. Aunque las jarras de frutas y vegetales eran demasiado grandes para ser transportadas, ¿quién me iba a decir que no podía servirme lo que me diera la gana de ellas allí mismo? Me llevé a un rincón polvoriento mi tarro personal de melocotones en almíbar, que era casi tan grande como yo. Desenrosqué la tapa y agarré uno.

—¿Qué es eso?   dijo la voz de Janina por encima de mi hombro.

—¿A ti qué te parece? —me metí el melocotón en la boca.

—Quiero uno —dijo ella extendiendo la mano.

Le di un cachete en ella y contesté:

—Son míos.

Janina apretó los puños, retrocedió y chilló:

—¡Estoy haaam-brien-taaa!

Saqué otro melocotón y se lo metí en la boca diciendo:

—¡Toma, no chilles!

Cerré el tarro rápidamente y lo dejé en su sitio justo cuando se abría una puerta y la luz nos iluminaba desde arriba. Las pisadas llegaron hasta más o menos la mitad de la escalera, se detuvieron y alguien dijo:

—¡Hola!... ¡Hola!...

Nos acurrucamos junto a los tarros de fruta con las mejillas hinchadas, y el jugo de los melocotones escurriéndose por nuestras barbillas.

—¡Hola!

Por fin los pasos se fueron y la puerta se cerró. Empujé un cajón debajo de la ventana y trepé a él. Saqué el saco lleno y luego a mí mismo a través de los barrotes. Ni siquiera encaramada al cajón Janina llegaba hasta la ventana, así que tuve que ayudarla a subir.

De vuelta, me eché el saco al hombro y los dos tuvimos buen cuidado de caminar al resguardo de sombras y callejones hasta el tramo final a la luz de la luna, el hueco de los dos ladrillos y el otro lado. Otra carrera a la luz de la luna y de nuevo de vuelta a las sombras.

Me encaminé al orfanato. El doctor Korczak siempre dejaba una ventana sin cerrar en la parte trasera. La abrí y vacié por ella la mitad del contenido del saco.

—¿Qué haces? —preguntó Janina.

—Alimento a los huérfanos —respondí.

—Se supone que tienes que alimentarnos a nosotros.

Ya estaba harto de su gorroneo, así que le contesté:

—Alimento a quien me da la gana alimentar.

Cerré la ventana de un golpe y me encaminé a casa.

27

Al día siguiente me fui a visitar a los chicos. Sabía que los encontraría en su nueva *casa*, un callejón detrás de una carnicería devastada por el fuego. Empecé a oírlos poco antes de llegar: un sonido como de bofetada seguido por vivas, un nuevo ¡plaf! y vivas otra vez. ¿Qué sucedía? Doblé la esquina. El Gran Henryk sujetaba a Kuba cabeza abajo agarrándolo por los tobillos mientras Ferdi le atizaba en el trasero con un gran hueso, uno de los muchos que había por allí.

Ferdi se detuvo cuando me vio y dijo:

—¡Misha! ¡Ven aquí! Te sacudiremos los piojos.

Entonces me di cuenta. Cada vez que Ferdi le atizaba a Kuba, un granizo menudo como sal caía del pelo de Kuba al suelo. Con cada golpe, Kuba oscilaba adelante y atrás como el péndulo del reloj del abuelo. Cuando terminó, Kuba le pidió el hueso a Ferdi y dijo:

—Tu turno, Misha.

Sólo con hablar de ello, la cabeza empezó a picarme más que nunca. Podía sentir cómo se arrastraban por ella.

Me puse a cuatro patas delante del Gran Henryk. Al momento colgaba cabeza abajo, con sus rodillas frente a los ojos.

—Prepárate —dijo Kuba, y entonces oí la voz de Ferdi:

—¡Espera! ¡El libro!

Ferdi metió un libro en mis pantalones, y el mundo osciló cuando Kuba me dio el primer golpe. En ese momento, una voz empezó a gritar:

—¡Para! ¡Para!

Volví la cabeza lo mejor que pude y vi a Janina atacar a Kuba, pateándole, dándole puñetazos. Ferdi la agarró y la levantó en el aire.

—No le hago daño —dijo Kuba.

—¿Quién es? —preguntó Enos.

—Es Janina —dije mientras Kuba balanceaba el hueso. Después, entre golpes:

—Mi… her… ma… na….

Cuando Kuba hubo terminado conmigo, Janina gritaba sin descanso:

—¡Yo! ¡Yo! ¡Yo!

Janina se dirigió a Gran Henryk para que la colgara por los pies cuando Enos dijo:

—No se puede poner cabeza abajo a una chica que lleva vestido. Necesita pantalones.

Yo era el más pequeño, así que fui el elegido. Me quité los pantalones y se los di a Janina. Metí el libro en la cinturilla y Kuba administró los golpes consabidos. Con cada uno de ellos Janina soltaba un gritito y una risa.

Tuve un pensamiento: *Quizá salga su ángel.* Ésa era la última información que había obtenido de los chicos sobre los ángeles. Toda persona lleva su ángel dentro de ella. Cuando te matan, el ángel sale de ti y va volando al Cielo. Cuando yo preguntaba dónde estaba el Cielo, cada uno me decía una cosa.

Kuba decía que en Rusia.

Olek decía que en *Washingtonamérica.*

Enos decía:

—Sois todos unos estúpidos. Está aquí mismo. En Varsovia. Al otro lado del muro.

Mientras miraba el cuerpecillo de Janina oscilando con cada golpe, no podía imaginarme cómo le sentaría al ángel de su interior tanto ajetreo. Miré muy atentamente, sin separar los ojos ni un momento, pero de ella no salieron nada más que gritos, risas y piojos.

Kuba se detuvo por fin. Janina pedía más. No quería devolverme mis pantalones. Todo el mundo se rió mientras yo la perseguía por los escombros, con el libro colgando del fondillo de sus pantalones como si fuera estiércol de caballo. De repente las risas cesaron. Me volví.

En una esquina de la carnicería carbonizada había cuatro personas. Todo el mundo, Janina incluida, se detuvo y los contempló atentamente.

Eran dos parejas. Sus botones relucían como estrellas de la mañana en sus uniformes. Las damas eran rubias y vestían sombreritos blancos y guantes blancos. Los cuatro sonreían. Uno de los Botas sujetaba algo, algo negro. Yo estaba seguro de que era una pistola o alguna clase de arma. Me pregunté: *¿Por qué no corremos?* Y entonces vi movimiento. Janina caminaba hacia ellos. Grité:

—¡Janina! ¡No!

Sonriendo todavía, el Botas levantó el arma. Se la acercó a los ojos y apuntó.

—¡No! —exclamé. Me eché sobre el Botas. Ni se inmutó. Lanzó su mano libre y me empujó a un lado. Apuntó nuevamente con el arma a Janina y oí *click*.

Enos gritó:

—¡Para, Misha! Es una cámara. Hace fotos.

No sabía de lo que hablaba, pero retrocedí. El hombre de la cámara apuntó y disparó de nuevo. Junto a mí, Janina bailaba en el polvo, sonreía al fotógrafo y decía:

—¡Hazlo de nuevo! ¡De nuevo!

Las parejas ya no sonreían, sino que se reían a carcajadas. Las señoras se colgaban de los brazos de los hombres para no caerse de la risa. Entonces una de las señoras se apretó la nariz, la otra hizo lo mismo, se rieron más y el hombre de la cámara hizo más fotos. Cuanto más se reían y más fotos tomaban, más rápido bailaba y reía Janina. El polvo que levantaba caía en los zapatos del grupo.

Cuando se interrumpieron las risas, Janina avanzó hacia adelante. Se acercó a una de las mujeres y dijo:

—¿Vive usted al otro lado?

La señora no contestó. Se limitó a bajar la vista y a sonreír. Janina extendió la mano y tocó la falda del vestido de la dama, que llevaba un estampado de tablero de ajedrez. La sonrisa de la señora se desvaneció y se echó atrás poniéndose fuera del alcance de Janina. Bajó la vista y miró el polvo que había caído en sus zapatos blancos. Dijo algo a los otros. Las sonrisas volvieron.

El hombre que tomaba las fotografías le entregó la cámara a su pareja, se acercó a Janina y a mí y se puso detrás de nosotros. Podía sentir cómo sonreía. Estaba cerca, pero no nos tocó en ningún momento. Le dijo algo a la señora, que apuntó y disparó.

Quizá ahora nos peguen dos tiros, pensé.

Pero no lo hicieron. Se limitaron a marcharse. Cuando salían, grité:

—¿No van a dispararnos?

No respondieron. Enos se acercó a toda prisa:

—¡Gitano estúpido!

Me dio un cachete en la nuca y añadió:

—A ver si aprendes a mantener cerrada tu estúpida boca.

Desee que Uri estuviera allí. Hubiera preferido que me hubiera dado la colleja él.

—¿Quiénes eran? —preguntó Ferdi.

—Soldados con sus amigas —dijo Enos—. Salen a dar una vuelta por el gueto. Es domingo.

—¿Qué es domingo? —pregunté.

Enos respondió burlonamente.

—El día que no te disparan.

Cuando volvimos a las calles, vimos a otros soldados con sus amigas, paseando.

Las señoras de los Botas llevaban guantes blancos. Yo no podía dejar de mirarlos. Eran más blancos que la nieve.

28

El verano significaba moscas. Yo pensaba en ellas como si fueran pajaritos. Me acordaba de los auténticos pájaros. Me acordaba de cuando cantaban mientras yo estaba tumbado en la hierba alta que olía a zanahorias. Salvo los cuervos, los pájaros no venían al gueto. No había pan que comer, no había semillas. Los cuervos que venían no cantaban. Se graznaban unos a otros pareciendo decir: *¡Ahí! ¡He encontrado uno!* O tal vez: *¡Largo! ¡Esto es mío!* Siempre tenían comida de sobra: comían gente, los cuervos y las moscas. Los carros pasaban por la mañana. Como los Botas se habían llevado los pocos caballos que quedaban, los hombres se convirtieron en caballos. Cuando veían un cuerpo, se detenían y se acercaban a él. No todos los cuerpos eran cadáveres. Si un cuerpo tenía moscas y no había cuervos podía estar vivo aún, especialmente si no estaba cubierto por un periódico, aunque a veces los cuervos apartaban los periódicos a picotazos.

Cuando los hombres se acercaban al cuerpo, los cuervos, por lo general, se apartaban. Daban seis o siete pasos, se volvían y graznaban a los hombres. Un hombre levantaba el cuerpo de las manos, otro de los pies y lo echaban al carro. Cuando caía en la pila, un enjambre de moscas saltaba en el aire como piojos de una costura. Entonces se posaban de nuevo, y un cuervo o dos se acercaban para acompañar al cortejo.

Yo solía pensar que si un cuerpo no tenía zapatos, ni calcetines, ni abrigo, es que estaba muerto. Pero en una ocasión vi un cuerpo de esas características escurrirse de debajo de la pila de un carro y marcharse andando. Los hombres habían cometido un error. Pero podías contar con los cuervos. Nunca se equivocaban.

Algunos morían de enfermedad, otros de hambre. No era mucho lo que yo podía hacer con las enfermedades, pero con el hambre sí. El mundo me había hecho para alimentar a mi familia y, en la medida de lo posible, a los huérfanos del doctor Korczak. Todos los factores -el robo, la velocidad, el tamaño, la estupidez imprudente- se reunían para hacer de mí el contrabandista perfecto.

Janina me seguía a todas partes. Era mi sombra. Si cruzaba el muro por la noche allí estaba ella, detrás de mí, con su saco. Nunca le hablaba, fingía no verla. Afanábamos en el hotel del Camello Azul. Afanábamos en las casas más elegantes de Varsovia. Teníamos muchas cocinas favoritas. Una de ellas era nuestra favorita especial porque siempre encontrábamos arenques marinados en ella. Debíamos sentirnos muy cómodos en aquella cocina porque siempre encendíamos la luz. Una noche estábamos probando el arenque cuando oí a Janina que decía:

—¡Hola!

Me volví. Un niñito estaba de pie en el umbral. Llevaba puesto un pijama y parpadeaba frente a la luz.

El niño murmuró:

—¿Quiénes sois?

—Soy Janina —dijo ella. De repente parecía muy adulta. Señalándome añadió:

—Y éste es Misha.

El niño se frotó los ojos con los puños:

—¿Sois judíos?

Janina se rió y respondió:

—¡Ja, ja, ja! ¿Judíos? ¡Oh, no, jamás seríamos judíos! Nosotros nunca. ¡Ja, ja, ja!

Le tendió al niño un trozo de arenque y añadió:

—¿Quieres un poco de pescado?

El niño aceptó el pescado y, durante un buen rato, los tres nos sentamos a la mesa de la cocina comiendo arenques marinados y galletas saladas y dulces y bebiendo leche. Bebiendo la leche pensaba en el doctor Korczak y en la vaca. Le dijimos al niño que estábamos jugando a un juego llamado susurros, de modo que no se podía hablar fuerte. Cuando salimos por la ventana con nuestros sacos llenos el niño quiso venir con nosotros. Le explicamos que volveríamos para visitarle pero yo sabía que jamás regresaríamos a esa casa. Al principio el padre de Janina no sabía que salía a contrabandear conmigo. Siempre estaba durmiendo cuando nos deslizábamos silenciosamente fuera de la habitación. Creo que el tío Shepsel estaba despierto a menudo, pero nunca dijo nada. Una noche volvíamos con los sacos llenos y nos encontramos con que los Botas tenían a la gente formada en el patio. Los Botas gritaban. Los perros gruñían. Las luces eran cegadoras.

—¡Sucios cerdos de Abraham!

Escondimos nuestros sacos y nos deslizamos detrás de la última fila. Avanzando despacio encontramos a los Milgrom, nos apretamos entre el tío Shepsel y el señor Milgrom. Me quedé atónito al ver a la señora Milgrom: de pie, en la fila, se le caía la cabeza sobre el pecho. Era una postura de firmes muy deficiente.

La mano del señor Milgrom bajó y le retorció la oreja a Janina, que gimió. Un Botas cercano gritaba:

—¡Hato de animales pestilentes! ¿Pero no os laváis nunca?

Confié en que Bufo no estuviera allí. Hubiera sido su oportunidad para tomarse la revancha.

Al frente, un hombre con un megáfono gritaba:

—¡Sabemos lo que estáis haciendo! ¡Éste es el primer y último aviso! ¡Os atraparemos! ¡Sí! ¡Sí! ¡Y cuando os atrapemos os fusilaremos! ¡Si tenéis suerte! ¡Si no la tenéis os colgaremos! ¡En cualquier caso estáis muertos! ¡Una de las posibilidades es más lenta! ¡Más dolorosa! ¿Lo entendéis?

—¡*Jawohl! ¡Jawohl!* —grité, con la palabra de los Botas para *sí*. Nadie más habló.

Ésta vez fue mi oreja la que retorcieron. Levanté la vista hacia el señor Milgrom y le pregunté:

—¿De qué habla?

Él susurró:

—De vosotros. De los contrabandistas. Debéis parar de inmediato.

Yo no paré. Pero intenté que Janina lo hiciera. A la siguiente vez que me siguió por la noche, me detuve en el patio y le dije que regresara.

—No —respondió ella.

—Tu padre quiere que no lo hagas más —le dije—. Se pondrá furioso si te disparan.

—No.

—Te colgarán.

—No.

—Te interpones en mi camino. ¡Eres una sucia judía!

—¡Y tú también!

—¡No!

A duras penas podía ver su cara en la oscuridad. La golpeé. Ésta vez no le di oportunidad de que me la devolviera; la empujé al suelo. Se levantó furiosa pero le di otra, la volví a empujar y la golpeé de nuevo. Se echó a llorar. Yo eché a andar. No me siguió. Empezó a gritar, sin embargo:

—¡Misha va al muro! ¡Misha hace contrabando! ¡Misha hace contrabando!

En la calle se oyó un silbato.

Volví corriendo donde ella estaba. Le tapé la boca con la mano.

—De acuerdo —dije—. De acuerdo.

Le tiré del pelo: su aullido resonó en el patio. Sonó el silbato. Corrimos.

29

Llegamos hasta el muro y prácticamente nos zambullimos en el agujero de dos ladrillos. Pero esa noche no contrabandeamos. Yo tenía la idea de que, en tanto no robáramos comida, ella estaba segura. Mientras dejábamos casas atrás, siguió dándome la lata:

—¡Quiero que entremos! ¡Quiero entrar!

Para distraerla la llevé al tiovivo. Estaba desierto y a oscuras. La gente estaba en la cama. La luz de una farola a lo lejos resaltaba unas casas entre las sombras. No había música, no daba vueltas y, sin embargo, hubiera podido jurar que se movían. Miré atentamente aquel lugar desierto. Pensé en el hermoso caballo negro, cortado por las patas. Pensé en el hombre que se había vuelto azul.

Fuimos hasta el lado donde no llegaba la luz. Cada uno de nosotros se subió a un caballo. Fingimos que estábamos galopando, echando una carrera. Janina gritaba una y otra vez:

—¡Yo gano!

Después de un rato se acercó a mi caballo y se subió detrás de mí. Puso sus brazos alrededor de mi cintura, su barbilla en mi hombro y empezó a decir:

—¡Más deprisa! ¡Más deprisa!

Cuando me cansé, dije:

—¿Quieres ver un ángel?

—¿Qué es un ángel? —preguntó.

—Te lo voy a enseñar.

Descendimos del caballo y me la llevé al cementerio. La luna entraba y salía de las nubes. El cielo nocturno parecía un empedrado humeante. Me llevó un rato pero finalmente di con él: se erguía ante nosotros. Sus alas tapaban buena parte del cielo.

—Ahí está —dije.

Janina miró hacia arriba boquiabierta:

—¿Es un ángel?

—No es real; sólo es de piedra. Es el aspecto que tendrían los ángeles reales, si pudieras verlos.

—¿Por qué no podemos verlos?

—Porque se esconden dentro de la gente. Hay uno dentro de ti.

—¿*Dentro* de mí?

Le tapé la boca con la mano y le dije:

—Todo el mundo tiene un ángel escondido dentro. Cuando mueres, tu ángel sale de ti. Tú puedes morir, pero tu ángel no. Tú ángel nunca muere.

Levantó la vista hacia las grandes alas y contestó:

—Es demasiado grande para caber en mí.

—Cuando está dentro de ti es pequeño —le expliqué—. Cuando sale crece, como un globo.

Por mi parte nunca tenía problema para añadir detalles que se les podían haber pasado a los chicos.

Janina empezó a tocarse por todas partes. Se metió los dedos en los oídos, en la nariz y dijo:

—No lo siento.

Se acercó a mí, me abrió la boca e intentó mirar dentro.

—No veo el tuyo.

Entonces empezó a dar patadas en el suelo y a decir:

—¡Quiero ver uno!

—No puedes —le dije, pero yo no lo creía del todo. Creía que más pronto o más tarde tendría oportunidad de ver uno saliendo de alguien recién muerto, o simplemente dando vueltas por allí, sin ganas de irse.

—No viven aquí. Viven en el Cielo.

—¿Dónde está eso?

—No sé —dije—. Enos dice que está aquí, a este lado del muro, pero nunca he visto a un ángel por aquí. Kuba dice que está en Rusia y Olek que está en *Washingtonamérica*.

—¿Qué es *Washingtonamérica*?

—Enos dice que es un sitio sin muro y sin piojos y con muchas patatas.

Janina extendió la mano y tocó el pie de piedra. Después le dio un golpe y dijo:

—No me gustas.

Nos fuimos a casa.

Esperaba que no nos pusieran a formar en el patio de nuevo. No nos pusieron. Pero había otra cosa: arrastrándonos en las sombras hacia casa, vimos un destello naranja más allá de un recodo y oímos un extraño sonido, como una ráfaga de viento. Nos acercamos sigilosamente a la esquina para echar un vistazo: no podía dar crédito a mis ojos. Un hombre escupía fuego. El fuego salía en bocanadas de una manguera como si fuera agua incendiada y entraba en un agujero de alcantarilla de la calle.

¡Enos!

¡Ferdi!

¡Olek!

Corrimos a casa. No pude dormir. Cuando salió el sol —Janina roncaba—, corrí hasta las ruinas de la carnicería. Estaban allí. Todos. Les dije lo que había visto.

Ferdi hizo un anillo de humo.

Olek dijo:

—Lanzallamas.

Enos dijo:

—No se privan de nada.

Kuba dijo:

—Vosotros, ratas de alcantarilla, deberíais venir al otro lado del muro conmigo. Esa cloaca apesta.

—No pueden vigilar todos los agujeros —dijo Enos—. Y el lanzallamas sólo alcanza veinte metros.

—Es espléndido.

No sabía de dónde había sacado esa palabra, pero lo cierto es que, a la luz de esa llama naranja brillante en la noche, me percaté más que nunca de lo gris que era el mundo donde vivía.

30

No le pude impedir a Janina que me siguiera. Y no podíamos comer caballos de tiovivo o ángeles de piedra. Así que pronto robábamos comida de nuevo. Y entonces ocurrió algo, y me alegré de que pasara.

Hacía calor. Era un día pesado, de calima. Janina y yo nos acercamos a la entrada del cementerio en la calle Gesia. Estábamos observando el largo desfile de carros de cadáveres alineados en la puerta. Hombres-caballo tiraban de los carros que llevaban pilas de cuerpos. Eran muchos más de los que yo podía contar entonces. Una negra nube de moscas se cernía sobre las piernas y los brazos flácidos. El aire zumbaba.

Sólo unas cuantas personas vivas venían con los carros; salvo por los harapos que vestían y el hecho de que estaban de pie, tenían el mismo aspecto que los cadáveres. Una anciana se agarraba a un tobillo que sobresalía del montón. Un Zurro, de pie en la puerta, recogía dinero: sólo los muertos entraban gratis en el cementerio.

De repente oímos un estrépito. Rastreamos el ruido hasta una encrucijada de calles. Había Botas, Zurros y jóvenes. Uno era Bufo. La gente miraba. Creo que no querían mirar, pero los Botas les apuntaban con sus armas. En el centro de la encrucijada vimos una pila de cebollas. Podía olerlas.

Un Botas abría las chaquetas de los chicos, y las cebollas caían de ellas. Todos los chicos parecían tener el mismo problema. Eran jorobados, sólo que sus jorobas estaban hechas de cebollas.

Cuando todas las jorobas estuvieron vacías, los Botas gritaron a la gente:

—¡Os lo hemos dicho! ¡Nada de contrabando! ¡Os hemos avisado!

Entonces los Botas y los Zurros empezaron a golpear a los chicos con sus porras, y los sombreros de los chicos volaban, y los chicos gritaban y caían al suelo sangrando entre las cebollas, y la gente miraba y no se movía.

Me llevé a Janina a rastras.

—¿Lo ves? —dije. Le apreté el brazo. La sacudí y añadí:

—¿Ves lo que les ocurre a los que roban comida? ¿Quieres que te suceda a ti?

Ella me gritó en la cara:

—¡Te odio!

Se soltó y salió corriendo.

Bien, por fin ha aprendido su lección.

Y durante todo el día pensé: *Se acabó la tabarra.*

Quería asegurarme, así que se lo dije a su padre. Que me había estado siguiendo, y que contrabandeaba conmigo. Le dije que no podía impedírselo y que no podía garantizar su seguridad. Creí que iba a golpearla, pero no la tocó. Se inclinó hasta que su cara estuvo exactamente a la altura de la suya, como un Botas en una formación. La miró como si fuera una extraña y le dijo una sola palabra:

—No.

Janina hizo un mohín, se estremeció y sus grandes ojos se llenaron de lágrimas. Corrió al colchón, se lanzó sobre su madre y se acurrucó contra ella.

Cuando salí aquella noche, se quedó atrás. Era cada vez más difícil bajar sigilosamente por las escaleras, porque ahora había gente durmiendo en ellas. Más y más personas eran traídas al gueto en camiones. Vivían en las escaleras, en los baños, en los tejados, en los sótanos. Me abrí camino a tientas a través de los cuerpos dormidos y esperé entre las sombras del patio. Nadie vino tras de mí. En cada esquina del camino hacia el agujero de los ladrillos, me detenía y miraba hacia atrás. Nadie me seguía. Me escurrí a través del agujero y pensé: *¡Soy libre!*

Al día siguiente, de vuelta, me había sentado un rato en una acera. Miraba a una muchachita que almorzaba los mocos que se sacaba de la nariz, cuando oí un grito conocido:

—¡Gordinflas! ¡Gordinflas!

Corrí. Efectivamente allí estaba Janina en el centro de la calle, agachada, dando gritos y mofándose de Bufo. Hacía una perfecta imitación de mí mismo cuando me metía con él. Vi el destello de los ojos de Bufo cuando se puso a trotar hacia ella, lanzando trocitos de menta en todas direcciones, con su enorme tripa dando saltos.

Janina gritó, rió y corrió. Corrí hasta ponerme a su nivel y cuando doblamos una esquina la metí en un callejón. Cuando llegó Bufo, le tiré piedras: vi sus ojos clavados en ella y sus dedos engarfiados. No podía soportar el pensamiento de que acabara con ella aplastándola contra el globo mortífero de su panza. Me acordé de Kuba y el funeral del cementerio. Me volví a Bufo, me bajé los pantalones y le enseñé las posaderas. Oí su rugido, y tuve que salir corriendo mientras me subía los pantalones.

Cuando volví finalmente al patio, Janina no podía dejar de reír. Yo detestaba que me remedara en todo lo que hacía. Todos mis talentos eran inútiles con ella. Ya no podía escapar de ella del mismo modo que no podía escapar de mi sombra. Desde aquel día deje de atormentar a Bufo, sólo para que tuviera una cosa menos que copiarme.

Esa noche me metí en dos casas del otro lado, pero sólo conseguí unas cuantas patatas retoñadas y una lata de sardinas. De nuevo Janina se había quedado en casa. Tiré una patata a través de la ventana trasera abierta del orfanato y volví a nuestro alojamiento, tropezando con los cuerpos que dormían en la escalera.

Cuando me tendí en la oscuridad del cuarto, extendí la mano para tocar a Janina: no sentí nada. Palpé por todas partes: ¡no estaba allí! Me senté. Tuve un pensamiento pero no podía creerlo. Seguí sentado hasta que oí la puerta rechinar, entonces me tumbé. La sentí pasando por encima de mí para dirigirse a su lugar en el suelo. Nos dormimos.

Puse las dos patatas y las sardinas en la mesa cuando volví esa noche. Por la mañana, había tres patatas más y un pastel.

Y así seguimos noche tras noche: atravesábamos el muro, nos metíamos en el Cielo (gracias a Enos, era así como llamábamos al otro lado del muro) y explorábamos cocinas, sótanos, revisábamos cubos de basura... por separado. Como una buena niña, Janina obedecía a su padre. No salía conmigo. Salía por su cuenta.

A veces nos cruzábamos en las sombras. Una vez nos encontramos dando vueltas en la puerta giratoria del hotel del Camello Azul en el mismo momento. Fingimos no vernos. Otra vez, nuestras cabezas casi chocaron buscando en un cubo de basura. Por las mañanas, nuestros botines se reunían sobre la mesa. Janina añadía lo que había conseguido ella a lo que había conseguido yo. Cada mañana el señor Milgrom me daba las gracias por la comida. Nunca le dio las gracias a Janina, porque creía que no dejaba la habitación por la noche. Janina nunca reclamó su agradecimiento. Para detener a los contrabandistas, los Botas enviaron a más patrullas y más perros al gueto durante la noche. Se oían disparos. Gritos. Resplandor rojizo de los lanzallamas. Pero yo no tenía miedo. Aún había oscuridad y Bufo, aparentemente, sólo se dejaba ver durante el día.

Un día, los dos teníamos mucho sueño. Había sido más duro que de costumbre encontrar comida en el Cielo la noche anterior, y amanecía a la hora en la que volvíamos a la habitación. Dormimos un rato y volvimos a salir juntos. Jugamos a los palillos en el polvo del patio y luego nos fuimos a vagabundear por las calles. Yo estaba, como siempre, vigilante

ante signos de Bufo o de la vaca misteriosa, pero según pasaba el tiempo el zumbido de las moscas y lo caluroso del día me arrebataron parte de mi atención y me dieron sueño. Me arrastré hacia un callejón y me tendí en el suelo. Janina, naturalmente, hizo lo mismo. Al poco rato estaba dormido.

Lo siguiente que supe es que me desperté de golpe: Janina gritaba. Un amasijo de harapos y pies descalzos se daba prisa en arrastrarse fuera del callejón. Janina buscaba su zapato por el suelo:

—Intentó robarme los zapatos —se quejó.

Me reí:

—Pensó que estabas muerta.

Ella le gritó al montón de harapos que huía.

—¡No estoy muerta!

Mientras se ponía el zapato, me di cuenta de que me miraba:

—¿Qué es eso? —dijo, estaba señalando algo.

Miré hacia abajo: era una semilla marrón con un penacho blanco saliendo de ella y colgaba de mi camisa. Tenía su nombre en la punta de la lengua, una palabra que ni siquiera sabía que sabía:

—Algodoncillo —dije. Janina lo arrancó de mi camisa. Lo sujetó por la semilla contra la luz. Se frotó la nariz con el penacho blanco y soltó una risita. Se pasó el suave vellón por las mejillas, cerrando los ojos. Entonces, de puntillas, la levantó tanto como pudo y dejó que se fuera volando. Ascendió hacia el Cielo.

—*Ése* es mi ángel —dijo.

Y de repente nos rodearon, volando, vilanos de algodoncillo. Le quité uno del pelo y dije:

—Mira.

Una planta de algodoncillo crecía en un montón de escombros.

Era emocionante simplemente contemplarla, una mancha de verde en el desierto del gueto. Las vainas en forma de pájaro habían estallado y los vilanos salían volando de ellas. Corté una vaina por el tallo y soplé en el sedoso interior hueco: los vilanos restantes salieron volando, convertidos en una nevada blanca que se desvanecía en las nubes.

31

INVIERNO

Una hoja muerta se agitó a la luz de la luna mientras yo me abría paso por el agujero de dos ladrillos hacia el otro lado. Me quité el brazalete. Sabía que Janina estaba en algún lugar detrás de mí. En esa noche de frío cortante las calles de Varsovia estaban casi tan desiertas como las del gueto, pero el hotel del Camello Azul siempre era brillante y cálido.

Cuando me metía a través de la puerta giratoria, vi de refilón alguien de pelo rojo en el vestíbulo del hotel. Me di la vuelta y entré. ¡Era Uri! vestía ropa fina: camisa blanca, pantalones negros, zapatos... Le miré un momento; estaba vaciando ceniceros en un carro de basura con ruedas que empujaba por el vestíbulo. Grité:

—¡Uri!

No me oyó; se dirigía a un corredor que había al final del vestíbulo.

—¡Uri! —corrí tras él, pero cuando llegué al corredor había desaparecido. Seguí buscando, mirando en las habitaciones oscuras. De repente vi que mis pies se levantaban del suelo y entré volando en una de ellas. La puerta se cerró con un golpe. No podía ver nada, pero sabía que era Uri el que me sujetaba, el que susurraba en mi oído:

—¿Qué haces aquí?

—Te he visto. ¡Au!

Me estaba retorciendo el brazo.

—¡Te llamé! ¿No me oíste? ¿Que haces aquí?

Me zarandeó y contestó:

—No te importa nada lo que estoy haciendo. Trabajo en la

lavandería. Si te veo aquí de nuevo, les diré que te disparen. Aquí no me llamo Uri. Nunca, *nunca* me llames así.

Me apretó el cuello con la mano. Tenía su aliento en la cara. Añadió:

—¿Me oyes?

Asentí con la cabeza, medio asfixiado.

—No vuelvas aquí jamás. ¡Fuera! ¡Ahora!

La puerta se abrió, y yo regresé de un empujón al iluminado corredor. Fuera, en la calle, busqué a Janina. Solía mantenerse al alcance de la vista, siguiéndome pero fingiendo que no lo hacía. No la vi. Algo dentro de mí dijo: *Bien*. Algo más añadió: *No me gusta esto*.

Desaparecí entre mis sombras y mis callejones acostumbrados. Aquella noche no busqué sitios nuevos. Me dirigí a cubos de basura conocidos, dignos de confianza, y a unas cuantas despensas hogareñas sin vigilancia, lugares que los dos conocíamos bien. Yo seguía esperando tropezarme con ella. Seguí buscándola por todas partes. No estaba.

La luna, como siempre, había recorrido la mitad de su camino en el cielo a la hora que yo había terminado mi ronda. Aquella noche había luna llena, la clase de luna que menos me gustaba. Yo solía lanzarme hacia el muro y zambullirme por el agujero. Aquella vez me detuve frente a él y esperé, agachado en las sombras. No podía quedarme mucho; había patrullas. Nada salvo las patrullas se movía en Varsovia a aquella hora de la noche. Seguí esperando, esperando ver desgajarse de las tinieblas un diminuto fragmento de sombra que se dirigiría corriendo hacia el muro, hacia mí. En algún lugar al otro lado del muro ladró un perro y sonó un silbato. Pensé en los chicos. Ojalá estuvieran a salvo.

Algo se acercó siguiendo el muro: un destello de plata a la luz de la luna. Venía una patrulla. Empujé mi saco a través del agujero y luego me metí yo.

Un momento después la encontré. Estaba cerca de una esquina, de pie, y ni siquiera trataba de esconderse, con su saco de comida en el suelo, junto a ella. No quise llamarla, sino que me aproximé silenciosamente por detrás. Janina no se movió; parecía estar mirando algo. Miraba hacia arriba y entonces lo vi. Un cuerpo colgaba de la barra de una farola cuya lámpara había dejado de alumbrar hacía mucho. Colgaba del cuello.

Me pregunté por qué el ahorcado la había hecho detenerse. No era el primero que veía. La muerte nos era tan familiar como la vida.

Incluso algunos que respiraban y caminaban estaban deseando que alguien les dijera que también estaban muertos.

Así que, ¿por qué me retumbaba el corazón en el pecho? Porque el cuerpo, ahora que estaba junto a ella me daba cuenta, tenía un solo brazo. Era un chico. Olek. Tenía un cartel en el pecho. A la luz de la luna las palabras se veían bien, pero yo no sabía leer. En el suelo, plana, su sombra también colgaba.

32

YO ERA UN
CONTRABANDISTA

A la mañana siguiente, Enos me explicó lo que significaba el cartel.

—Nos colgarán a todos —dijo.

—A mí no —respondí—. No pueden atraparme.

—A mí no —repitió Janina—. No pueden atraparme.

Enos se rió.

Nos sentamos en las ruinas de la carnicería. Nadie dijo nada. Ferdi fumaba. Kuba miraba el polvo. Por una vez nadie tenía nada gracioso que decir. El Gran Henryk berreaba. Se quitó los zapatos y golpeó con ellos la tierra helada. Los tiró y siguió berreando.

Yo dije:

—He visto a Uri.

Nadie levantó la cabeza.

Janina escupió en el polvo:

—Odio a tus ángeles.

Al día siguiente empezaron a llegar los primeros copos. Los niños levantaban los rostros hacia el cielo intentando atraparlos con la lengua. Visité el orfanato. El doctor Korczak les enseñaba una canción a los huérfanos. Cuando me vio dijo:

—Misha, únete a nosotros. Canta con nosotros.

Me quedé de pie entre los niños y canté la canción. Después de cantar nos dieron a cada uno un pastel de col y una cucharada de grasa. El doctor Korczak nunca comía. Todo el mundo tenía zapatos. Cuando me fui, me dirigí a casa cantando mi canción de los copos de nieve. Vi a un chico comiéndose un periódico. Una voz gritó:

—¡Misha Pilsudski! ¡Misha Milgrom!

Reconocí la voz, pero no podía dar crédito a mis oídos. Me volví: era el tío Shepsel. Desde el día en que los judíos habían desfilado para entrar en el gueto, no había visto al tío Shepsel fuera de la habitación, excepto cuando nos hacían formar en el patio. Sonreía enseñándole sus dientes marrones al mundo. Su mano bajó hasta posarse en mi hombro:

—Misha... Misha..., ¿no hace un día precioso?

Miré a mi alrededor. Me parecía como cualquier otro día. Gris. Unos metros más arriba, un hombre se golpeaba la cabeza contra un muro de piedra.

Pero yo era un tipo agradable:

—Sí —respondí.

—Sí... sí...

El tío Shepsel miró a su alrededor. Cerró los ojos, inspiró profundamente y se quedó quieto durante un rato. Pensé que se había dormido. La cabeza del hombre que se golpeaba contra el muro estaba roja, pero continuaba haciéndolo. El tío Shepsel abrió los ojos, bajó la cabeza y me sonrió. Le había visto la misma sonrisa en el cuarto hacía poco, mientras leía el libro que le transformaría de judío en luterano. Me quitó la gorra y me revolvió el pelo. Las liendres volaron como copos diminutos. Me volvió a colocar la gorra y asintió soñadoramente. De repente su expresión cambió; parecía confuso. Me miró muy fijamente a la cara con aspecto de no conocerme y dijo:

—Te vas. Todas las noches te vas —dijo—. ¿Por qué vuelves?

Yo no tenía respuesta. Quizá el tío Shepsel la encontró en mi cara porque después de un rato se dio la vuelta y se alejó. Unos metros más adelante, el hombre estaba en el suelo.

Los pies me devolvieron a la habitación. La señora Milgrom yacía en el colchón como de costumbre, de cara a la pared. Aunque su aspecto no había cambiado lo más mínimo, supe al punto que estaba muerta. El señor Milgrom estaba sentado en el borde del colchón con Janina en su regazo. La niña había enterrado la cara en su pecho y lloraba. Su padre la acunaba adelante y atrás. Cuando me miró sus ojos brillaban.

Desde que el señor Milgrom me había convertido en miembro de la familia, siempre quise llamar *madre* a la señora Milgrom. Lo hice una vez y ella me contestó: "No soy tu madre". Yo estaba confuso. Cuando decidí intentarlo de nuevo ella le había vuelto la espalda al cuarto para siempre. Y ahora estaba muerta. Y los ojos del señor Milgrom me ponían triste. Posé mi mano en su hombro como el doctor Korczak había hecho a menudo conmigo. Le miré a los brillantes ojos y dije:

—Papá.

Hizo que me sentara en su regazo junto a Janina y ahora me mecía también a mí adelante y atrás. Intenté llorar como mi hermana, pero estaba demasiado atento buscando el ángel de la señora Milgrom. Nos quedamos toda la noche velando su cuerpo, salvo el tío Shepsel que se echó a dormir cuando volvió. Por la mañana el señor Milgrom salió y regresó con el enterrador. Le dio un pequeño frasco de píldoras blancas y le dijo que las había estado guardando para este día. Tanteando bajo el colchón sacó un pequeño trozo de tela en forma de platillo. Me pregunté qué era. Se lo puso en la cabeza. Era un sombrero. El enterrador y los ayudantes llevaron a la señora Milgrom al patio, donde esperaba un carro. La señora Milgrom fue depositada en él y cubierta con el harapo de lana color col que una vez había sido una manta.

El enterrador se puso al frente del cortejo que salió del patio. Después iban los ayudantes que tiraban del carro y luego nosotros tres. El tío Shepsel se quedó en la habitación. Éramos el desfile más pequeño de todos los tiempos. Vimos muchos cuerpos a lo largo de nuestro recorrido. Me sorprendió que no los recogieran, pero también estaba complacido porque no quería ver a la señora Milgrom en el fondo de una pila de cadáveres.

Nunca había ido tan despacio: incluso cuando no huía me gustaba correr o, al menos, andar deprisa. Todo lo que hacía era apresurado. Me esforcé en mantener el paso del señor Milgrom y Janina. El señor Milgrom me agarró la mano. Yo me repetía una y otra vez: *Mi madre está muerta en este carro y no debo ir más rápido que ella.*

Pasamos por el orfanato. El doctor Korczak estaba de pie en el umbral. Juntó las manos, cerró los ojos y dijo unas palabras. No pude oírlas, pero vi como se convertían en nubes de aliento saliendo de su boca en el aire invernal.

Muchas mujeres se cruzaron con nosotros en dirección contraria; todas llevaban prendas de piel o zorros y tenían un aspecto muy triste. Algunas lloraban. Se les había ordenado que entregaran todas sus pieles en la estación Stawki.

Un hombre que caminaba velozmente pasó junto a nosotros. No tenía ni camisa ni abrigo, ni zapatos ni harapos en los pies. Con una flauta plateada que se llevaba a la boca, profería unos sonidos como trinos. Luego la levantaba en el aire y gritaba:

—¡Niños! ¡Niños! ¡Venid conmigo! ¡Venid a la montaña de dulce! ¡Seguidme! ¡Seguidme!

A las puertas del cementerio de la calle Gesia, el señor Milgrom le dio al guarda una botella de píldoras y nos dejaron entrar. Nos dirigimos hacia una parcela vacía. Los ayudantes del enterrador encontraron herramientas y cavaron una fosa. Un cuervo se sentaba cerca, sobre una lápida torcida.

Me miraba. Pensé que iba a hablar. Repetía sus ásperos graznidos una y otra vez, pero yo no podía entenderlo. Me aparté de la señora Milgrom y me acerqué al cuervo.

—¿Qué? —le pregunté.

El cuervo habló por última vez y levantó el vuelo.

La primera bomba cayó al otro lado del muro cuando bajaban a la señora Milgrom a su tumba. La sentí en los pies. Levanté la vista. Llovían bombas. El suelo temblaba como si todos los muertos hubieran decidido dejar sus tumbas a la vez. El enterrador, sus ayudantes y los guardas del cementerio echaron a correr. El señor Milgrom se limitó a quedarse allí, mirando a la fosa.

Una bomba estalló sólo unas casas más allá, a nuestro lado del muro. Luego más. El señor Milgrom nos miró y dijo:

—Niños.

Nos levantó y nos hizo bajar a la fosa con la señora Milgrom.

—Cubríos los ojos.

Nos acurrucamos el uno contra el otro sobre el harapo de lana, a los pies de la señora Milgrom. La tierra latía como un corazón. Cuando arriesgué una mirada hacia arriba, vi al señor Milgrom sentado en el borde de la fosa con los pies colgando hacia nosotros.

Janina sacó algo de sus bolsillos. Era una vaina de algodoncillo. Tuvo que haberla cortado de la planta del callejón. Parecía vacía, pero sopló en ella y tres o cuatro vilanos se elevaron en el aire. Ascendieron, salieron de la tumba, pasaron junto al señor Milgrom y se perdieron entre el rectángulo de cielo gris y las lágrimas negras de las bombas que caían.

33

Cuando cesó el bombardeo, volvimos a casa para encontrarnos al tío Shepsel gritando en el patio:

—¡Son los rusos! ¡Estamos salvados!

Salió bailando a la calle mientras gritaba:

—¡Estamos salvados!

El tío Shepsel era el único que bailaba.

Escaleras arriba, encontramos otras personas en nuestra habitación. Con camiones llenos de gente que llegaban todos los días al gueto, eso pasaba en todas partes. Ahora nos sucedía a nosotros. Janina dijo, cortante:

—Estáis en nuestra casa.

Todo el mundo se quedó mirando fijamente pero nadie dijo nada.

El señor Milgrom corrió su arcón de píldoras y la mesa a un lado del cuarto y le dijo a los recién llegados:

—Podéis quedaros con el colchón.

Fui a ver a los chicos. Enos estaba de pie sobre los escombros de la carnicería. Se reía. Los otros le miraban.

—¿Qué tiene tanta gracia? —pregunté.

—¡Qué es gracioso! —respondió y siguió riéndose—. ¡Todo! Nos pastorean aquí como si fuéramos animales. Luego construyen un muro en torno nuestro. Nos matan de hambre, nos congelan, nos achicharran, nos disparan, nos ahorcan, nos prenden fuego. ¿Y sabéis qué?

Se acercó hasta el Gran Henryk, le golpeó en la cabeza y añadió:

—¿Sabéis qué?

—¿Qué? —preguntó Gran Henryk.

—Os diré qué —respondió sin dejar de reírse—. Los rusos, que se acercan, van a decir: "No basta. Vosotros, los nazis, sois demasiado blandos con ellos. Así que vamos a bombardearlos". Y eso es lo que van a hacer —concluyó.

Levantó los brazos y repitió:

—¡Nos bombardearán!

Nos miró a todos, uno por uno, y añadió:

—¿No creéis que es lo más divertido que habéis oído en vuestra vida?

Nadie se rió, ni siquiera Kuba.

Gracioso o no, las bombas siguieron cayendo y el invierno era frío y la gente estaba famélica. Había miles de huérfanos que vagaban por las calles con sus harapos y sus sabañones, que se desplomaban en los portales, que pedían comida, ropa, cualquier cosa. No había nada que darles. Así que pasaban hambre, y se congelaban y morían en la nieve, con los brazos extendidos hacia adelante, mendigando aún. Los niños que sobrevivían eran todo ojos y costras. Así era el gueto: los niños crecían hacia abajo en lugar de hacia arriba.

Yo no podía creer que hubiera habido una época en la que los chicos y yo luchábamos sobre pilas de comida.

Un día Janina y yo oímos un alboroto en el patio. Miramos por la ventana y vimos a un Botas de pie, en la entrada, junto a su novia. El hombre llevaba una bolsa de la que sacaba hogazas de pan y las tiraba sobre la nieve. Cada vez que una hogaza llegaba al suelo, diez personas se lanzaban sobre ella. El soldado y su novia reían. Llamaron a otras parejas para que se unieran a ellos y se divirtieran también. Vi que una de las chicas no se reía.

¡Si los piojos fueran comida! Por las mañanas nos despertábamos con las pestañas pegadas por los piojos. Hacían *¡pop!* y se convertían en una manchita roja cuando los reventábamos entre las uñas.

Todos los días, el hombre de la flauta plateada desfilaba arriba y abajo por las calles gritando:

—¡Venid a la montaña de dulce!

Una vez vi a un chico tambaleándose detrás de él, pero el hombre caminaba demasiado rápido.

Con los recién llegados al cuarto, Janina y yo ya no podíamos dejar nuestra comida contrabandeada en la mesa. Cuando volvíamos por la noche metíamos las cosas en los bolsillos del señor Milgrom y del tío Shepsel mientras dormían.

Había siete personas nuevas. Cinco eran adultos, y los restantes unos pequeños gemelos. Los adultos nunca hablaban al tío Shepsel o al señor Milgrom, pero los gemelos se acercaban a Janina y a mí cuando jugábamos a los palillos. Aunque intentaban jugar con nosotros, eran demasiado pequeños para hacerlo bien; eso hacía reír a Janina. Empezó a dejar un trozo de patata o de cebolla debajo de sus narices por la noche.

Desde que los rusos bombardeaban había menos comida aún. Siguió durante muchos días. La mayoría de las bombas caían en el Cielo. Desapareció el tintineo de los tranvías y desaparecieron los colores, excepto la brillante línea azul del Camello.

Salíamos todas las noches. En el camino de ida, Janina se quedaba muy atrás. A veces yo me volvía rápidamente para echarle un vistazo, pero sólo había sombras. Era su juego.

Entonces pudimos disfrutar de un descanso inesperado.

Una noche, cuando me acercaba al agujero, oí un sonido. Miré. Había algo en el suelo: lo levanté. Era una col. Una col fresca, compacta. De repente empezaron a caer más cosas a mis pies: salchichas, patatas. Ahora Janina estaba conmigo, mirando hacia arriba.

—Alguien está tirando comida por encima del muro —dije maravillado.

Nos quedamos allí, mirando hacia arriba, pero no cayó nada más.

Volvimos a casa con la comida, soltando risitas todo el tiempo. A la noche siguiente estábamos preparados cuando otro envío de comida cruzó volando por encima del muro. Esto ocurrió noche tras noche. Latas de sardinas y de arenques. Frutas, *babkas* de todos los sabores. Por encima de todo lo demás disfrutábamos viendo las caras estupefactas del señor Milgrom y del tío Shepsel cuando volvíamos con nuestro festín nocturno. Y tal como había empezado, terminó: de repente ya no hubo más comida voladora. Volvíamos a tener que buscarnos la vida.

Siempre nos reuníamos en el otro lado. Si Janina no me encontraba buscando comida, me esperaba en el agujero de dos ladrillos. Y siempre atravesábamos el muro juntos. Yo primero, después ella, desde la noche en la que encontramos a Olek.

Hasta la noche en la que yo no cupe por el agujero.

Lo primero que hice fue quitarme el abrigo y hacerlo pasar por el agujero. Seguí sin caber. Me entró el pánico. Me quité los pantalones y me zambullí en el estrecho pasadizo y no cejé hasta que hube pasado. Recuperé mis pantalones y me volví a vestir, pero Janina se estaba empezando a reír con tantas ganas que sus coles rodaron por el suelo. Al día siguiente, en la carnicería, encontré un buen hueso entre los ladrillos achicharrados, se lo tendí al Gran Henryk y le dije:

—Pégame.

El Gran Henryk estaba confuso; sabía que no lo entendería.

—Estoy creciendo demasiado —le dije a Enos. Me tendí de espaldas en el suelo, levanté los pies hacia el Gran Henryk y le dije:

—Pégame en los pies. Necesito dejar de crecer.

Enos se rió y dijo:

—¡Pégale! Si no lo haces tú, lo haré yo.

El primer golpe del Gran Henryk me hizo resbalar sobre la tierra helada como un trineo sobre el hielo. Todo el mundo se rió. Enos se apoyó en mis hombros para impedir que me deslizara y le dijo al Gran Henryk que me diera fuerte. El Gran Henryk me estaba dando golpes en las plantas de los pies cuando oí el *muuú*. Todos lo oímos. No podía creerlo. Siempre había estado al acecho por si la vaca aparecía, porque quería complacer al doctor Korczak. Y ahora allí estaba: se la podía oír con tanta claridad como el silbato de un Zurro. Pero el sonido no era el que debía ser.

Se oía muy cerca, así que corrimos a la calle. A un patio. Allí estaba, galopando por una galería: una vaca enloquecida, en llamas, que berreaba con un Botas que se reía detrás de ella y escupía fuego por su lanzallamas, hasta que el animal atravesó la barandilla y se lanzó al vacío, con las llamas aleteando a su alrededor. Una persona atravesó corriendo el patio hacia la vaca que ardía, y después fueron decenas.

34

Este año lo celebrarás con nosotros —dijo el señor Milgrom.

Se refería a la fiesta llamada Hanukkah. Fue la primera palabra judía que aprendí. Había querido incluirme el año anterior, pero la señora Milgrom no se lo permitió:

—No —había dicho, gruñendo en su colchón—. No es judío. Y yo no soy su madre.

—No está en su ser —había dicho el señor Milgrom.

Fuera como fuera, no se me permitió. Durante ocho noches me senté en una esquina y miré.

Ahora había llegado de nuevo la época del Hanukkah, la señora Milgrom se había ido, el tío Shepsel se había apartado, ahora que era luterano, y yo estaba allí. El primer día, el señor Milgrom me contó la historia del Hanukkah. Hacía mucho, mucho tiempo, los griegos habían querido destruir todo lo judío ("fíjate, ésta no es la primera vez") y los judíos, a pesar de que estaban en minoría y no tenían ninguna posibilidad contra los griegos, los habían derrotado. Pretendieron celebrarlo encendiendo una lámpara de aceite. Pero la celebración tenía que ser corta, porque sólo había aceite para un día. Y entonces sucedió el milagro: el aceite duró ocho días.

—Por eso la conmemoración del Hanukkah dura ocho días; con ella recordamos que hemos de estar felices y orgullosos de ser judíos, y que siempre sobreviviremos. Es nuestro momento, celebramos nuestra propia existencia. Ahora debemos ser felices. Nunca debemos olvidar cómo ser felices. Nunca debemos olvidarlo.

¡Felices! No había oído esa palabra desde que el señor Milgrom la había dicho en el último Hanukkah. Le hice la pregunta que había tenido en la cabeza desde entonces:

—Papá, ¿qué es ser feliz?

Me miró, levantó la vista hacia el techo y me volvió a mirar.

—¿Has probado alguna vez una naranja? —dijo.

—No —contesté—, pero he oído hablar de ellas. ¿Son reales?

—Déjalo —respondió y me miró unos segundos más.

—¿Alguna vez tú...? —empezó, pero se interrumpió y meneó la cabeza.

Después de contemplarme un rato más, dijo:

—¿Has tenido frío alguna vez y luego has podido calentarte?

Me llegó el recuerdo de cuando dormía con los chicos bajo la alfombra: frío, y luego calor.

—¡Sí! —exclamé—. ¿Es eso ser feliz?

El señor Milgrom sonrió y respondió:

—Eso es ser feliz.

Volví a sentir el cálido cobijo de la alfombra. A veces sacaba la nariz para sentir mejor el calorcito en el resto de mi cuerpo.

—Debajo de la alfombra.

—No —respondió. Me dio unos golpecitos en el pecho y añadió—: ser feliz está aquí.

Se dio dos golpes en el pecho y repitió:

—Aquí.

Yo bajé la vista hacia mi propio pecho:

—¿Dentro?

—Dentro.

Empezaba a haber muchas cosas allí adentro: primero el ángel, ahora la felicidad. Daba la impresión de que dentro de mí había algo más que col y nabos.

Miré a Janina, que se sentaba en el suelo con cara de patata. No había sonreído desde la vaca ardiendo.

—Janina no es feliz.

El señor Milgrom me apretó el hombro, sonrió tristemente y respondió:

—No, no lo es.

El señor Milgrom sacó el candelabro de plata del arcón de las pastillas y encendió la primera de las ocho velas. Los gemelos se acercaron a mirar las llamas. Los otros nuevos continuaron en su lado del cuarto. En las calles había ecos de disparos cuando el señor Milgrom pronunció las palabras sobre la llama de la vela. La llama le daba un vago tinte amarillo a su aliento congelado. Empezó a cantar una canción.

—Canta, Janina —dijo, pero Janina sólo profirió un gruñido o dos. Entonces nos puso en pie a Janina y a mí, y también a los gemelos, nos hizo que nos tomáramos de la mano, y bailamos en círculo mientras el señor Milgrom cantaba, la llama de la vela oscilaba y alguien gritaba en la noche. El señor Milgrom sonreía sin cesar: yo copié su sonrisa lo mejor que pude. Janina sin embargo llevaba los hombros caídos y arrastraba los zapatos por el suelo. Me pregunté si los huérfanos bailaban en círculo.

El señor Milgrom sacó algo y luego otro algo del bolsillo de su abrigo. Estaban envueltos en papel de periódico. Le dio uno a Janina y otro a mí. Era un peine. No podía creerlo. Recordaba la cesta llena de peines en la barbería, y recordé a Uri peinándome. ¡Ahora tenía uno de mi propiedad! Me arranqué la gorra de la cabeza y hundí el peine como un azadón en mi pelo. Se quedó clavado. No podía moverlo. Saqué el peine y empecé a deshacer el mechón de pelo con los dedos. Lo intenté de nuevo con el peine. Usando toda mi fuerza fui capaz por fin de pasarme el peine a través del pelo. Podía sentir los piojos y las liendres caer como una fina lluvia en mi nuca. Oía también como caían al suelo. A la luz de la vela, me peiné y me peiné y me peiné. Hasta la mañana siguiente no me di cuenta de que el regalo de Janina seguía envuelto en su hoja de periódico.

—¿No vas a abrirlo? —pregunté.

Janina respondió con un mohín:

—No.

Lo abrí yo. Era un peine exactamente igual que el mío; se lo di.

Lo tiró al suelo. Lo recogí y empecé a peinar su rizado pelo castaño.

—¿Lo ves? —dije—. ¿No sienta bien? Y es mejor que atraparlos con los dedos.

No respondió. No sonrió. No me impidió que la peinara.

Al segundo día del Hanukkah, cuando el señor Milgrom fue a buscar el candelabro plateado, éste no estaba. El señor Milgrom parecía sorprendido, pero yo no. En mi mundo las cosas existían para ser robadas. Con la otra familia en la habitación, estaba más que claro quién lo había hecho y por qué. Si sabías con quién tenías que tratar, las cosas podían cambiarse por dinero, y el dinero podía cambiarse por comida. El señor Milgrom no acusó a nadie. Se limitó a mirar por la ventana y a decir con una voz lo bastante alta para que todo el mundo lo oyera:

—¡Qué vergüenza se siente cuando un judío roba a otro judío!

Encontró un cabo corto de vela y lo encendió. Nos miró a Janina y a mí y preguntó:

—¿Quién será el *menorah*?

—¡Yo! —exclamé.

Me dio la vela. Le hizo una especie de collar con papel de periódico para que la cera caliente no me goteara en la mano. Me puse firme, extendí los brazos e intenté imitar al *menorah* lo mejor que pude. El señor Milgrom pronunció las palabras y cantó. Le pregunté si podía cantar la canción que había aprendido en el orfanato del doctor Korczak. Sus ojos resplandecieron a la luz de mi vela:

—¡Sí! ¡Sí!—respondío alegremente.

Así que yo canté mi canción; me había convertido en un candelabro cantante. El señor Milgrom y los gemelos bailaron en círculo agarrados de la mano y rieron. Janina no quiso levantarse del suelo.

Así fueron pasando los días de Hanukkah. Cuando la vela se quemó del todo, el señor Milgrom encendió una cerilla y dijo que quizá durara los ocho días como el aceite de la historia, pero se terminó del todo justo cuando él terminaba de hablar.

—Así que —dijo—, nosotros mismos seremos las velas.

Se puso las manos en el pecho y añadió:

—Sentid vuestros corazones, cuán cálidos son.

Así lo hice, y sentí que mi corazón se calentaba, sentí la llama en mi pecho mientras bailábamos en círculo.

Seguí saliendo todas las noches a buscar comida, pero Janina se quedaba atrás. Nunca abandonaba el cuarto. Nunca hablaba. Dejó incluso de quejarse. Le peinaba el pelo durante horas todos los días, pero no era capaz de poner una sonrisa en su cara. También yo estaba perdiendo mi felicidad.

Entonces tuve una idea.

Aunque a Janina no le gustaba su peine sabía de algo que sí le gustaba mucho. Casi cada vez que comía la oía murmurar: "Ojalá tuviera un huevo marinado". Yo había oído hablar de arenques marinados pero no de huevos marinados. Aún así pensé: *Encontraré un huevo marinado*.

Quedaba sólo un día de Hanukkah. Esa noche cuando pasé al otro lado, me olvidé de todo lo demás. No recordaba haber visto un huevo en mis rebuscas. Pero no había buscado huevos. Sabía que se guardaban en sitios frescos, así que miré en fresqueras y sótanos. Fui a todas mis mejores casas, al hotel del Camello Azul y no encontré ni uno solo. En cuanto a los pepinillos -no sé por qué pensaba que los huevos marinados llevaban pepinillos-, quería de esos gruesos y jugosos que Uri solía comer, pero lo mejor que encontré fue un frasco de rodajas de pepinillo en una despensa. Yo viajaba ligero esa noche, así que me limité a sacar un par de pedazos y echármelos al bolsillo. Ahora todo lo que necesitaba era un huevo.

Empezó a nevar. Me deslizaba en silencio por los callejones, probando puertas y ventanas desconocidas, intentando entrar donde pudiera. Ahora, después del bombardeo de los rusos, había más ruinas. Partes del Cielo estaban empezando a parecerse al gueto. Por fin encontré un huevo, no en una gran casa, sino en la tienda de un zapatero. No estaba en una nevera, sino sobre una tira de cuero en un banco de trabajo. Lo acuné en la mano porque sabía lo frágiles que eran. Ya casi podía oír el chillido de alegría de Janina. Cuando volvía oí un silbato en la calle. No le di importancia; los Botas iban detrás de alguien. El silbato se fue haciendo más y más fuerte, y entonces oí unos gritos que decían:

—¡Judío! ¡Judío!

No lo entendía. Nadie me había detenido jamás aquí. Una segunda voz gritaba. Los copos se deshacían en mi cara. Mantuve mis dedos flojos sobre el huevo. No podía correr en línea recta porque después del bombardeo las calles estaban llenas de cráteres, y no podía acercarme al agujero del muro. Me zambullí en un callejón, en las sombras, y me metí en un montón de escombros. Me acurruqué jadeante, apretando el huevo frío y liso contra mis labios. Los gritos y los silbidos se fueron haciendo más débiles. Esperé mucho tiempo. La nieve crecía sobre mi gorra y mi cuello. Podía oler los pepinillos en el bolsillo. Calenté el huevo con mi aliento. El cielo se estaba volviendo gris cuando pude regresar al agujero de los ladrillos. Extendí el brazo al otro lado, dejé el huevo en la nieve y me deslicé por el orificio. Últimamente no había tenido problemas para atravesarlo. La zurra del Gran Henryk debía haber tenido efecto.

En cuanto volví al gueto, me di cuenta de por qué los Botas me habían perseguido. Se me había olvidado quitarme el brazalete.

Le había estado diciendo a toda Varsovia: *¡Mirad, soy un judío, me he escapado del gueto!* Me pregunté por qué no me habían visto antes.

La oscuridad amiga se retiraba. Tenía que darme prisa. Corrí. Al doblar una esquina, tropecé con un cuerpo medio escondido por la nieve y me fui al suelo sin remedio. El huevo se me escapó de la mano. Al principio pensé que gracias a la nieve no le habría pasado nada pero cuando lo levanté vi, bajo la pálida luna del amanecer, que la cáscara estaba rota. Sentí una gran tristeza. Todos los peligros que había arrostrado, para esto.

Y entonces me di cuenta de que sólo tenía una grieta, de que no se había roto. Nada amarillo goteaba en la nieve. No lo entendía. ¡Un huevo que se rajaba pero que no se rompía! ¡Era un milagro! Recorrí a la carrera el resto del camino, sorteando cuerpos. El señor Milgrom ya estaba despierto cuando llegué a casa. Janina dormía. Le enseñé el huevo y los pepinillos, y dije:

—Para Janina.

Luego susurré:

—Felicidad.

El señor Milgrom miró el huevo y los trozos de pepinillo, y después me miró durante un buen rato.

—Fíjese en ese huevo —dije—. No se ha roto. ¿Es un milagro?

El señor Milgrom estudió el huevo, se lo llevó a un oído y lo agitó. Entonces hizo un gesto afirmativo y dijo con un susurro:

—No. Tú eres el milagro. Es un huevo duro. No se romperá.

¡Un huevo duro! Esto era nuevo para mí. Confié en que a Janina le gustara.

Por la noche se lo di. Sus ojos se desorbitaron como huevos de pájaro.

Peló la cáscara y se lo metió de una vez en la boca; cerró los ojos, y mientras lo comía fue dejando escapar pequeñas migas.

—Espera —dije—, pepinillos.

Se los tendí:

—Huevo marinado. Con pepinillos.

Apartó los pepinillos con un gesto y me dijo farfullando a través de la papilla que le llenaba la boca:

—Los huevos marinados son de color púrpura.

Los gemelos miraban fijamente; sus dientes bajaban y subían al unísono con los de Janina.

Cuando acabó de comerse el huevo abrazó a su padre y le dijo:

—Gracias.

—Da las gracias a Misha —respondió el señor Milgrom—. Fue idea suya; lo encontró en el otro lado.

Janina me abrazó. Me quedé sorprendido de que pudiera apretar tanto.

El tío Shepsel regresó. Ahora venía a la habitación sólo para comer y dormir. Pensaba, que cuanto menos tiempo pasara con judíos, más luterano se volvería. Pero hasta los luteranos sienten hambre y, al entrar por la puerta, husmeó el aire y dijo:

—Pepinillos.

Para mi sorpresa, el señor Milgrom sacó un trozo de pepinillo del bolsillo y se lo entregó al tío Shepsel.

En cuanto a mí, había estado despierto demasiado tiempo. Sentí un peine que pasaba por mis cabellos... peinando... peinando...

35

PRIMAVERA

—¿Qué es eso? —dijo Janina. Se acercó a la ventana. Los gemelos corrieron tras ella.

Estábamos en la habitación. Era de día. Se oían voces en el exterior. Me uní a los otros. Abajo, en el patio, había niños cantando. Sonaban más como cuervos que como niños. Cuando notaron que los observábamos desde arriba, levantaron sus caras hacia nosotros, todo harapos y ojos.

—¿Por qué están cantando? —pregunté.

La voz del señor Milgrom pasó sobre mi hombro:

—Tienen hambre. Cantan por comida.

—No tenemos comida —contesté.

Era verdad. Cuando Janina y yo volvíamos del Cielo cada noche -ella salía de nuevo conmigo-, dejábamos caer algo a través de la ventana del orfanato del doctor Korczak, y el resto lo llevábamos a casa y nos lo comíamos inmediatamente.

—Quitaos de la ventana, niños —dijo el señor Milgrom.

El canto en el patio siguió durante un rato y después cesó.

Las que siempre estaban cantando eran las moscas. Los días eran templados, los cuerpos estaban fríos, y las moscas cantaban y bebían de los ojos y de las pústulas de los niños. Nadie retiraba los cadáveres cubiertos por periódicos. Ya no había ropa que llevarse, ni zapatos. Sólo andrajos. A mí me parecía ver ángeles acechando detrás de los ojos de los vivos, esperando. Los ángeles y los cuervos se cruzaban, unos marchándose, los otros llegando.

Todos los días, en la calle Gesia se veía una caravana de carros de cadáveres delante de la puerta del cementerio.

Los contrabandistas colgaban como frutas tristes de las farolas, con carteles en torno a su cuello. El flautista marchaba arriba y abajo por las calles soplando su flauta plateada y gritando:

—¡Venid a la montaña de dulce!

Los domingos, los Botas llegaban con sus novias para taparse la nariz, tomar fotos y tirarnos trozos de pan a nosotros, las palomas. Un soldado hizo reír a los demás: llevaba en la nariz una pinza de tender ropa.

Cada vez costaba más conseguir comida. Incluso en el Cielo. En ocasiones todo lo que podía encontrar era algún mendrugo de pan verdoso. A veces no había nada en los cubos de basura, salvo las escurriduras del fondo. Yo no tenía dónde meterlas, así que recogía dos puñados y volvía con ellos. Los demás comían la grasa de mis manos.

Incluso con la comida contrabandeada, Janina estaba más y más delgada. Sus facciones se habían afilado tanto como las de un zorro. Eso sí, sus ojos eran cada vez más grandes, mientras todo lo demás disminuía. En otros sentidos Janina volvía a ser la de siempre, charloteando, quejándose, siguiéndome dondequiera que fuera e imitándome en todo. Me hacía ser consciente de mí mismo. Dudaba en hacer cosas que siempre había hecho con naturalidad. Había dejado de acosar a Bufo para que Janina se olvidara de él, pero no funcionó. En realidad, ella iba a más. Se convirtió en el molesto chinche de cada Zurro que veía. Los insultaba. Les tiraba piedras. Se deslizaba detrás de ellos y les atizaba en las corvas con una tubería de metal.

Yo le pegaba. Le gritaba. Pero no podía hacer que cambiara. Me sentía incapaz de entender sus murrias, sus rabietas. Por mi parte solía aceptar el mundo tal como venía. Ella no. Me devolvía los golpes y me daba patadas. Con el tiempo encontré la mejor forma de entenderme con ella. Muchos días me marchaba a meterme en mi cráter de bomba favorito, me acurrucaba en él, lamía los restos de grasa que habían quedado entre mis dedos y, cerrando los ojos, recordaba los buenos días del pasado cuando las señoras salían de las panaderías cargadas con voluminosas bolsas de pan.

36

Iba andando solo y me dirigía al cráter de bomba cuando de repente me di cuenta de que alguien caminaba a mi lado. Solté un chillido:

—¡Uri!

No lo había visto desde hacía mucho tiempo. Lo abracé. Me apartó.

—Cállate —dijo—. Limítate a escuchar.

Me dio un golpe en la parte de atrás de la cabeza y añadió:

—¿Estás escuchando?

—Sí —respondí.

—¡Fuera! —dijo.

—¿Fuera?

Llevaba un brazalete azul y blanco igual al mío.

—No voy a decirlo de nuevo. Fu-e-ra. ¡Fuera!

Yo estaba confundido:

—¿Fuera de dónde?

—Fuera del gueto. Fuera de Varsovia. Fuera de todas partes. Lárgate. Vete y no mires atrás.

No había costras ni furúnculos en el rostro de Uri. Iba vestido. Llevaba zapatos.

De repente, ante nosotros, apareció un esqueleto de ojos hundidos, envuelto en harapos. No podía decirse si era un chico o una chica. Extendió una mano hacia nosotros. Uri sacó un grueso pepinillo del bolsillo, mordió un trozo, se lo sacó de la boca, y lo dejó en la mano. Seguimos andando.

—¿Por qué? —pregunté.

—Deportaciones —respondió—. Van a empezar muy pronto. Quieren vaciar el gueto.

—¿Depor…?

—¡Deportaciones! Se van a librar de todos vosotros. Os transportarán en trenes.

Eso me sonaba bien.

—¿Adónde? —pregunté—. ¿A Rusia? ¿A *Washingtonamérica?*

Uri engarabitó sus dedos en torno a mi cuello. Apretó.

—No lo sé. No *quieras* saberlo. Hagas lo que hagas, *no* subas a ningún tren. *No* estés aquí cuando vengan los trenes. Limítate a largarte. Fuera. Corre. No dejes de correr.

Miró al cielo y añadió:

—Jamás.

Miré al cielo con él, pero allí no había nada.

Se me quedó mirando fijamente y dijo:

—Nunca te lo he preguntado. ¿Cómo pasas al otro lado?

Le conté lo del agujero de dos ladrillos.

Meneó la cabeza. Casi sonreía.

—¡Pequeña bestia! Ya sabía yo que valías para algo.

—¿Recuerdas cuando te vi en el hotel del Camello Azul? —dije nerviosamente.

Me atizó un capón en la frente.

—No me has visto en ninguna parte. ¿Entiendes? Nunca me has visto. No me conoces.

Otro capón.

—¿Entiendes?

Asentí con la cabeza, pero no entendía.

—Tengo que irme —dijo—. Toma.

Me tendió el resto del pepinillo. Retrocedió, me miró arriba y abajo y meneó la cabeza. Parecía triste.

—Más negro que nunca.

Se escupió en un dedo y me frotó la mejilla:

—Antes de que te vayas, encuentra un poco de agua y lávate la cara.

Se metió en un montón de escombros y sacó de él un puñado de polvos blancos.

—¿Ves esto? Frótate la cara con ello. Y las manos.

Me lavó las manos con el polvo; quedaron más blancas que las suyas.

—¿Lo ves? Y antes de irte, quítate eso —dijo señalando mi brazalete. Me agarró del pelo y me sacudió la cabeza hasta que me sentí mareado.

—No mires a nadie. No te pares por nada. No eres un judío. No eres un gitano. No eres nadie.

Me abofeteó.

—Dilo.

—No soy nadie.

Me dejó ir. Retrocedió. Llevaba el pelo rojo cortado tan corto que parecía una mancha de herrumbre saliendo de la gorra. Se volvió y se alejó andando. Regresó. Me apretó el cuello y dijo:

—No se lo digas a nadie salvo a los chicos.

Miró a su alrededor y añadió:

—¿Cómo están? ¿Están bien?

—Olek no. Lo ahorcaron. Le pusieron un cartel.

Uri me miró fijamente.

—Contrabandean, como yo. Pero no a través del agujero. Son demasiado grandes.

Uri levantó la vista al cielo durante mucho tiempo. Cerró los ojos. Volvió a mirarme. Se metió la mano en el bolsillo y sacó algo de él:

—Toma.

Y se fue.

Era un bombón. La capa de chocolate estaba derritiéndose. Me lo comí. Un bombón de crema con corazón de avellana.

Me fui directamente a ver a los chicos a las ruinas de la carnicería. Les conté que había visto a Uri:

—Dice que tenemos que marcharnos.

Kuba se rió y dijo:

—¿Marcharnos? ¿Adónde?

—Del gueto —respondí—. De todas partes. Correr. ¡Correr siempre!

Kuba y Ferdi se rieron. Enos no:

—¿Por qué? —preguntó.

—Deportación.

Los chicos se miraron unos a otros.

—¿Qué significa eso? —preguntó Ferdi.

—No lo sé —dijo Enos.

Pero me di cuenta de que sí lo sabía.

El Gran Henryk rugió:

—¡Correr!

Guardé el pepinillo para mi familia. Mientras masticaban sus trozos, les dije:

—Tenemos que irnos.

Lo dije susurrando para que la nueva gente que había en el cuarto no lo oyera.

—¿De qué hablas? —preguntó el tío Shepsel.

—Uri dice que vienen trenes para llevarnos. Dice que tenemos que correr.

—¿Quién es Uri? —preguntó el señor Milgrom.

—Un amigo mío.

—Tu amigo es un soplón —afirmó el tío Shepsel—. ¿Por qué tendrían que llevarnos a ninguna parte? Ya nos tienen igual que cerdos en una pocilga. ¿Qué más van a haceros? Y digo *haceros* —señaló a cada uno de nosotros—, porque yo he dejado de ser uno de vosotros.

Se lamió el jugo del pepinillo de los labios y añadió:

—Soy luterano. Todo el mundo lo sabe. No tengo nada que temer. Pero vosotros —blandió su libro delante de la cara del señor Milgrom—, con vuestros Hanukkahs y vuestra tozudez. *Vosotros...*

Janina tiró de la manga de su padre y dijo:

—Papá, quiero ir en el tren.

El señor Milgrom le dio una golpecitos en la mano y respondió:

—No habrá tren. El tío Shepsel tiene razón. No hay nada más que puedan hacernos.

37

VERANO

Janina fue la primera en oírlo. Acabábamos de volver al gueto escurriéndonos por el agujero. Tenía los bolsillos llenos de trozos de col podrida.

—¿Qué es eso? —dijo Janina.

Escuchamos. De la distancia negra llegaban débiles ecos de golpeteos y chirridos metálicos.

—No sé —respondí.

La niña profirió una especie de ladrido:

—¡Son los trenes!

Corrió estúpidamente, metiéndose en el centro de la calle, ignorando las sombras. De sus bolsillos caían cebollas. Corrí tras ella. Los tintineos y los chirridos se hicieron más fuertes.

—¡Janina! ¡Para!

Intenté gritar en voz baja. El toque de queda empezaba cuando el sol se ponía. La noche era peligrosa para todos, no sólo para los contrabandistas.

La alcancé. La sujeté con los brazos mientras intentaba patearme. Quería darle un golpe, pero me daba miedo soltarla.

—¡Te dispararán, chica estúpida!

Sentí que sus hombros descendían. Se relajó. Se estaba rindiendo. La solté. Pero, sin previo aviso, se puso de puntillas y me aplastó la nariz de un cabezazo. Aullé. Los ojos se me llenaron de lágrimas. Cuando por fin pude ver, se había ido.

—¡Vale! —susurré—. Chica estúpida.

Le tiré una piedra y le grité tan fuerte como pude:

—¡Estúpida!

Intenté ir a casa. Intenté sentarme en las sombras y esperar a que volviera. Al final, todo lo que pude hacer fue echar a andar hacia los ruidos de la noche. Venían de la estación Stawki, el apeadero que estaba al otro lado del muro del gueto.

Había descubierto hacía mucho que el agujero de dos ladrillos que usaba por las noches no era el único del muro. Cerca de la calle de la puerta Stawki había otro. Me deslicé por él y me encontré de nuevo al otro lado. Vi entonces que no había un tren, sino muchos. Los faroles que colgaban muy altos de un bosque de postes emitían una luz amarillenta, espesa. Las locomotoras jadeaban, silbaban y exhalaban chorros de vapor entre las ruedas. Inacabables líneas de vagones se desvanecían en la oscuridad. Botas y más Botas salían y entraban en las sombras. Uri tenía razón.

Me encontré a Janina sentada en una chimenea derruida. No pude evitarlo: trepé para sentarme junto a ella. Vimos un tren que llegaba y se alineaba con los demás.

—¿Dónde irán? —dijo sin separar ni un momento los ojos de los trenes—. ¿Dónde nos llevarán?

—No quieras saberlo —contesté.

—¿Tú sí lo sabes?

—Sí —mentí—. Pero no te lo voy a decir.

La estaba castigando.

Miramos un poco más.

Ella dijo:

—Sé dónde van.

—¿Dónde? —dije.

Hizo un gesto de asentimiento como cuando su padre decía algo importante:

—Van a la montaña de dulce.

Al día siguiente no contamos nada de los trenes. En realidad no hacía falta. Todo el mundo lo sabía en el gueto.

Las palabras estaban en el aire, zumbando con las moscas.

—Trenes…

—Deportaciones…

—Estación Stawki…

—¿Por qué…?

—¿Dónde…?

El tío Shepsel estaba cada vez más y más nervioso. Agitaba su libro delante de la cara de los nuevos, acosaba a la gente de la escalera y gritaba desde las ventanas que daban al patio:

—¡Judíos! ¡Judíos! ¡Arrepentíos! ¡No es demasiado tarde! ¡Venid conmigo! ¡Salvaos!

En las ruinas de la carnicería, Enos reía y reía. De pie sobre una pila de ladrillos, gritaba con los brazos extendidos:

—¡Lo están haciendo! ¡Realmente lo están haciendo!

El flautista desfilaba por la calle. De las ventanas del orfanato salían canciones. Todos los ojos y todos los oídos se volvieron a la estación Stawki. Hasta los cadáveres matutinos parecían escuchar.

Dos noches después de que viéramos los trenes por primera vez, volviendo de rebuscar en los cubos de basura del Cielo, oímos los ruidos. Tiros. Silbatos. Gritos. Gruñidos de perros. Cuando llegamos al agujero de dos ladrillos miramos a través de él, con las cabezas juntas, un ojo cada uno. La gente parecía marcharse, muchos de ellos; estaban en el centro de la calle y todo el mundo llevaba una maleta. Mi primer y estúpido pensamiento fue: *¡Desfile!* Entonces vi Botas que les pegaban con rifles, y perros que gruñían y lanzaban mordiscos. La gente se movía muy lentamente. Sus pies parecían deslizarse sobre el pavimento, no caminar. No parecía que fueran a la montaña de dulce. Pensé que nunca terminarían de pasar. Al día siguiente las calles estaban vacías. Las voces de la escalera, del patio, decían:

—Hay una cuota. Los trenes deben llevarse cinco mil judíos cada día.

Voces:

—Diez mil.

Voces:

—Hasta que…

Y entonces alguien dijo:

—Reasentamiento.

—¿Qué quiere decir? ¿Reasentamiento? ¿Qué es reasentamiento?

—Están hartos de tenernos aquí —dijo el que había hablado—. Más que hartos de nosotros. Nos echan a patadas. Nos mandan al este. Para reasentarnos. Tendremos nuestros propios pueblos. ¡Sólo judíos!

La palabra "reasentamiento" tomó el lugar de la palabra "deportación".

—A pesar de todo —dijo el tío Shepsel—, es mejor no ser judío, para empezar.

Los Botas venían noche y día. Sonaban los silbatos. Una manzana, una calle, cada vez.

Calle Sliska.

Calle Panska.

Calle Twarda.

Cada día, cada noche, los lentos desfiles grises se arrastraban hasta la estación Stawki.

La gente de la escalera murmuraba:

—Reasentamiento… reasentamiento…

—¡Seremos libres!

—¡Remendaré zapatos de nuevo!

—¡Comeremos!

La gente miraba los ojos de los demás, hacía gestos de asentimiento y decía:

—Sí… sí… sí…

Sin embargo, no salían. Las calles continuaban vacías. Salvo por el flautista.

A veces, cuando Janina y yo descendíamos a través de la gente que ocupaba la escalera por la noche, se oía a alguien que decía:

—¡No os vayáis! ¡Os perderéis el reasentamiento!

Calle Ceglana.

Calle Chlodna.

Un día el señor Milgrom me dijo:

—Mantente cerca de Janina, vayáis donde vayáis. Cada segundo. Día y noche.

Su mano descansaba en mi hombro.

Me quedé estupefacto. No sólo sabía que salía conmigo por las noches, sino que le estaba dando su consentimiento para hacerlo.

Había una cosa que el señor Milgrom no sabía: cuánto le gustaban los trenes a su hija. Cada noche, después de arrastrarnos por el agujero para volver el gueto, corríamos hacia el apeadero. Dejaba la comida que había conseguido debajo de algún porche, donde pudiera recuperarla más tarde, y se dirigía corriendo al agujero del muro próximo a la calle Stawki y se volvía a meter en el otro lado. Yo recordaba las órdenes del señor Milgrom. No podía hacer otra cosa que seguirla.

Noche tras noche hacíamos lo mismo. Subíamos a los restos de la chimenea y mirábamos los trenes que iban y venían. Los desfiles de gente subiendo a los vagones, los chirridos de las ruedas, los chasquidos de los dientes de los perros. Las locomotoras que jadeaban como judíos agonizantes.

Durante el día me acercaba a las ruinas de la carnicería. Pero los chicos estaban desapareciendo uno por uno.

—¿Dónde está Ferdi? —preguntaba—. ¿Dónde está Kuba?

Nadie respondía. ¿Habían seguido el consejo de Uri? ¿Se habían marchado? ¿Estaban al otro lado del muro, corriendo?

¿Colgaban de farolas con carteles en torno a sus cuellos? ¿Deambulaban por las alcantarillas? ¿Había dado Bufo con ellos?

Ferdi.

Kuba.

Enos.

Uno por uno.

Hasta que sólo quedó el Gran Henryk, que trotaba detrás del flautista. Vi a Botas que lo señalaban.

Nadie volvió a sacar fotografías. Todo el día. Toda la noche. Desfiles y desfiles de gentes.

Un día, dormitaba en el callejón del algodoncillo y oí a Janina que me llamaba:

—¡Misha!... ¡Misha!

Me agarró de la mano y me sacó a la calle. Los huérfanos se marchaban. Iban desfilando con las cabezas muy altas y cantando la canción que yo había aprendido. Me puse a cantar yo también. Nadie vestía con harapos. Todo el mundo llevaba zapatos. El doctor Korczak abría la marcha. Caminaba tan derecho como un Botas y llevaba un sombrero adornado con una pequeña pluma roja. Nos quedamos allí hasta que ya no pudimos verlos ni oírlos.

Calle Libelta.

Calle Walowa.

Calle Gesia.

38

Y entonces llegó el anciano.

Fue muy extraño. No estaba allí y de repente apareció. Ni siquiera llevaba harapos en los pies. Un ojo tenía el color de la leche y nunca parpadeaba.

—He vuelto —dijo. Nos reunimos a su alrededor en el patio.

—Estoy aquí para decíroslo. Escapé. Lo he visto. No hay reasentamiento.

Alguien dijo:

—Desde luego que hay reasentamiento. Vamos a los pueblos del este. Nos esperan.

El hombre repitió:

—No hay reasentamiento. Es mentira.

—¡Tú mientes! —gritó otro.

—¡Mira! —gritó un tercero, blandiendo un trozo de papel—. Es una postal de mi hermano, dice que está muy bien. Escucha: "Estamos bien. Somos felices en nuestro nuevo pueblo. Espero verte pronto".

—Mentiras —dijo el viejo. No gritaba. Teníamos que esforzarnos para oírle. Su aspecto y su forma de hablar le hacían asemejarse a alguien que tuviera unas enormes ganas de dormir.

—Es un truco. Tu hermano está muerto.

Hubo un chillido.

Muchos le gritaron al viejo a la vez.

—¡Vete!

—¡Largo!

Sólo cuando cesó el griterío, supimos que el viejo decía más cosas:

—... Cercas que te achicharran... hornos... nunca paran... las cenizas caen como nieve...

Se hizo un silencio.

Alguien dijo:

—¡Hornos! ¡Nos están horneando tartas!

Risas.

—¿Hornos para qué? —dijo otra voz.

El viejo levantó la cabeza, encaró al que hablaba con su pupila lechosa y respondió:

—Para ti.

Silencio de nuevo, e inmediatamente, una explosión aún más ruidosa de chistidos y risas.

—¡Estás loco, viejo!

—¡Hemos recibido postales!

El viejo se tambaleó. Acerqué mi hombro a su cadera para sostenerlo. Por encima de mí oí su aliento jadeante. La gente esperaba que dijera más, pero lo único que hizo fue darse la vuelta y marcharse.

Una voz, la del tío Shepsel, gritó:

—¡Judíos! ¡Arrepentíos! ¡No es demasiado tarde!

Un día después de que el viejo hablara en el patio, el señor Milgrom me susurró en un rincón del cuarto:

—Cuando Janina y tú salgáis por la noche, no quiero que os quedéis en el otro lado. Quiero que huyáis, que no volváis. No te separes de Janina, agárrala de la mano.

Primero Uri, ahora mi padre.

—Janina quiere irse en el tren —le dije—. Quiere ir a la montaña de dulce.

Los ojos del señor Milgrom se cerraron lentamente. Como los de Janina, se habían hecho enormes, como si no quisieran perderse detalle de su tristeza.

—La montaña de dulce no existe.

En ese momento lo supe. El viejo del patio había dicho la verdad. Ahora entendía por qué el señor Milgrom no le había prohibido salir a Janina. Sabía que cuando las caravanas de trenes llegaran, un niño estaría más seguro lejos de casa. Me miró a los ojos, me aferró del brazo y dijo:

—Agárrala de la mano. Mantenla contigo, hazla avanzar. Quitaos los brazaletes y corred. Corred hasta que amanezca. Luego escondeos. Corred por la noche.

Me apretaba el brazo tan fuerte que, si no lo hubiera conocido, habría pensado que estaba intentando hacerme daño.

—No traigáis comida esta noche. No volváis. Corred. *Corred.*

Esa noche, el señor Milgrom no dormía cuando nos levantamos para marcharnos. Nos apretó contra él durante mucho rato. Creo que estaba llorando. Nos susurró palabras al oído que no entendí y nos dejó ir. Cuando pasamos al otro lado, agarré a Janina como el señor Milgrom me había dicho. Al principio no dijo nada, pero al cabo de un rato, cuando vio que no nos deteníamos en los cubos de basura, clavó los pies en el suelo y preguntó:

—¿Dónde vamos?

—No sé —contesté—. Simplemente nos vamos.

Retiró su mano de un tirón y retrocedió.

La seguí, y la tomé de nuevo de la mano:

—Papá dijo que vinieras conmigo.

—¿Dónde?

—Lejos. Ahora corre.

Comencé a correr tirando de ella. Janina clavó los talones en la acera. Gritó y empezó a darme patadas. Justo cuando creía que había acabado conmigo, me escupió en la camisa y me pisó los pies. Yo grité. Ella huyó corriendo.

Aquella noche no fuimos a ver los trenes. Volvimos a la habitación con coles parduzcas y grasa. El señor Milgrom estaba aún despierto. Me agarró del brazo y me sacudió:

—¿Qué te dije antes?

No podía ver su rostro en la oscuridad, pero parecía furioso. Pensé que iba a golpearme. Nos estrechó otra vez contra él.

Y así seguimos unas cuantas noches más. El señor Milgrom me repetía -y luego nos lo decía a los dos- que no volviéramos, pero Janina se negaba a obedecer; regresábamos a la voz furiosa y a la bofetada que nunca llegó.

Calle Zamenhof.

Calle Mila.

Calle Lubecki.

Y una noche no pudimos volver.

39

Teníamos los bolsillos llenos de arenques secos. Janina olía a sal y a pescado. Cuando nos acercamos a nuestro agujero de los ladrillos, vimos luces y gente. Nos escondimos en las sombras y esperamos. Las luces se apagaron por fin y la gente se marchó. Corrimos al agujero. No estaba allí. Sólo una superficie plana, intacta, de ladrillo.

Nos arrastramos a lo largo del muro. Entramos en la estación Stawki. Las puertas de los vagones chasqueaban antes de engullir multitudes enteras. Ansiosos por volver al gueto, buscamos el agujero de la estación Stawki que habíamos utilizado para ver los trenes. También había desaparecido.

—Hay otros agujeros —dije.

Durante toda la noche fuimos de sombra en sombra siguiendo el muro que jamás terminaba, esquivando las patrullas de los Botas, buscando un modo de entrar en el gueto. Encontramos guardias y luces y una pared lisa de ladrillos. Ningún agujero. Oímos disparos y gritos que venían del gueto. Ladridos de perros. Resplandor de lanzallamas. Janina estaba cada vez más nerviosa. Cada vez que oía un disparo, gemía:

—¡Papá!

Pateó la pared.

—Está bien —le dije. La abracé.

Cuando volvimos donde habíamos empezado, el cielo estaba gris y las estrellas se desvanecían. Amanecía y estábamos atrapados en el Cielo.

Encontré polvo blanco en la base del muro. Me lavé la cara y las manos con él. Janina se rió. Me pegó con un pez seco, y luego nos lo comimos. Dormimos en el suelo, en el parque del tiovivo. Nos despertamos a las doce y nos pusimos a vagar por la ciudad. Recordé las palabras de Uri. Le dije a Janina:

—Procura no tener aspecto culpable.

—¿Qué es aspecto culpable? —preguntó.

—Se me ha olvidado —contesté—. Pero no lo tengas.

Le metí la mano en el bolsillo y hundí todavía más en él su arrugado brazalete.

Vagabundeamos por las calles, entre la gente y los cráteres de las bombas, masticando pescado seco. Nos inventamos un juego: quién podía parecer menos culpable. Nos reíamos. Le decíamos hola a la gente. Volvimos al tiovivo para montar en los caballitos, pero los caballitos estaban inmóviles. Agucé el oído para oír la música de fanfarria, pero el único sonido eran los disparos del otro lado del muro.

Cuando volvió la noche, nos acercamos de nuevo al muro. Yo me daba cuenta de lo estúpido que era. ¿En qué había estado pensando? ¿Iban a volver los agujeros? ¿Iba el muro a ser más bajo que la noche anterior? Deseé disponer de los hombros del Gran Henryk para trepar sobre ellos. Intenté pensar, intenté pensar. De repente Janina se acercó corriendo al muro y ahuecando las manos ambos lados de la boca gritó a pleno pulmón:

—¡Papaaá!

La agarré y me la llevé como pude a las sombras mientras un Botas, a lo lejos, se volvía.

Sólo por hacer algo comenzamos a rodear de nuevo el muro. Llegamos a la estación Stawki, donde siempre era de día, con las luces, el gentío y los ruidos metálicos de los vagones, cuando supe de repente lo que tenía que hacer. La puerta de la calle Stawki estaba abierta: la gente pasaba por ella. La agarré de la mano y la arrastré detrás de mí. Nos agachamos detrás de un parapeto cerca de la puerta.

Ambos lados de la puerta estaban guardados por Botas con perros.

La gente pasaba apesadumbrada con sus maletas, con las cabezas bajas, como si no supieran que los dientes de los perros chasqueaban cerca de sus caras.

No me molesté en darle instrucciones a Janina. ¿Para qué? Copiaba todo lo que yo hacía. Me dirigí a la riada de gente. Me zambullí en ella. Me perdí entre sus piernas. Mientras ellos se dirigían a los trenes, yo empujaba y daba codazos en dirección opuesta. Los que entraban no me prestaron más atención a mí que a los perros. Cuando noté que había pasado al lado del gueto, me eché bruscamente a la derecha, me desvié del gentío y salí zumbando. Detrás de mí oía perros y gritos, y luego disparos -mi primera plegaria salió entonces de mis labios: *Lanzallamas no, por favor*- pero en ese momento ya sólo había escombros y sombras. Me metí como una rata en el cobijo de la oscuridad. No supe si Janina estaba conmigo hasta que mi corazón y mis pulmones se tranquilizaron. Entonces la oí jadear junto a mí.

Cuando pareció que no había nadie cerca, corrimos hacia casa. Supe que íbamos a recibir malas noticias al subir las escaleras. No había cuerpos que sortear. Los intrusos se habían marchado. Nuestra puerta estaba abierta. La luz de la luna goteaba de la ventana como la respiración del invierno. El cuarto estaba vacío. La mesa y la silla volcadas. El baúl de las medicinas hecho pedazos. Janina se echó a llorar. Se dejó caer al suelo y se puso a barrer las sombras con su cuerpo, de una esquina a otra, esperando que su padre estuviera escondido, que no se hubiera ido. Mientras recorría las paredes gemía:

—Papá... Papá...

Y entonces corrió hacia las ventanas para gritar:

—¡Papaaá!

¿Dónde estaba el tío Shepsel? Yo esperaba que de un momento a otro apareciera en el centro de la habitación y exclamara:

—¡Intenté detenerles! ¡Vaya con los judíos! ¡Nunca escuchan!

Entonces lo vi, en el suelo, iluminado por la luz de la luna: el libro de los luteranos.

Janina me echó a un lado, salió corriendo del cuarto y bajó las escaleras. Corrí tras ella a través del patio, la seguí por las calles iluminadas por la luna hasta la estación Stawki.

El inacabable desfile se arrastraba todavía a través de la puerta hacia la luz amarilla. La perdí cuando se metió entre la gente. Hice lo mismo. Los perros respingaron en sus correas, pero nadie intentó detenernos. Al otro lado del muro me abrí camino de una parte a otra de la riada, chocando con maletas, buscándola. Sonaron silbatos, chasquearon las puertas de los vagones. Los perros ladraron y gruñeron. Los Botas, los perros y las bayonetas proyectaban en el suelo sombras gigantescas, amenazantes.

Yo me esforzaba porque el gentío no me arrastrara hasta los vagones. Me mantenía más o menos en el mismo sitio y fisgaba, buscaba, escondido entre las oleadas de piernas y de maletas.

Entonces la vi. ¿La vi de verdad? ¿Era ella? ¿Cómo podía estar seguro? Se encontraba a una distancia de cuatro o cinco vagones. Todo -las cabezas de la gente, los perros en tensión, los tejados de los vagones- se recortaba como siluetas negras contra la luz enfermiza. Janina era una sombra que se había soltado, mantenida por encima de las demás sombras por un par de brazos de Botas. Pateaba y gritaba por encima de las masas silenciosas. No podía distinguir sus palabras pero el sonido de la voz era suyo, y eché a correr hacia ella. Entonces los brazos se proyectaron hacia adelante y echó a volar, Janina estaba volando sobre las cabezas en sombra y los perros y los soldados. Sus brazos y sus piernas giraban lentamente. Parecía tan ligera, tan hecha para el aire, que pensé: *¡Es feliz!* Pensé que iba a volar para siempre como un vilano de algodoncillo llevado por una brisa interminable y yo corría y deseaba volar con ella. Y entonces desapareció tragada por las fauces negras de un vagón y, mientras yo sentía el aliento caliente de un perro, oí un gruñido y el chasquido de la puerta del vagón que se cerraba.

Intenté correr hacia a ella, pero el perro no me dejaba ir. Después el perro desapareció y un Botas me pateó tan fuerte que me levantó del suelo. Cuando aterricé, una porra cayó sobre mi espalda y fui pateado de nuevo, y el Botas me llevaba del pelo y se reía y los dientes del perro chasqueaban.

El Botas me lanzó sobre un muro. Vi que su mano se dirigía a la cartuchera. Vi salir la pistola y le vi apuntar entre mis ojos:

—¡Muere, cerdito!

La voz.

Levanté la vista. El pelo rojo. La cara.

—¡Uri! —grité.

La pistola disparó.

40

ENTONCES

Me picaba la nariz, la mejilla, me rasqué, volvieron. Zumbidos. Abrí los ojos. Nubes blancas en un cielo azul, centelleos. Moscas.

Sonaba un timbre, me dolía la oreja. Me dolía el brazo, todo me dolía. Estaba mojado. Había agua. Me senté. Estaba en un charco de una zanja. Empecé a salir a gatas de la zanja y me caí hacia atrás. El timbre no cesaba. Me miré el brazo, donde el perro me había clavado los dientes y me había zarandeado. La herida tenía costra, como de pan rojo oscuro. Las moscas bailaban sobre ella. Las miré de hito en hito. Estaban muy ocupadas.

Me puse la mano en la oreja, en la que le faltaba el lóbulo. Sentí un bulto cubierto de una costra y poco más. Me volví a sentar, cerré los ojos y escuché el timbre.

—¡Janina!

Gateé hasta salir de la zanja. La estación Stawki estaba vacía. No había Botas. No había judíos. Los trenes habían partido. La puerta estaba cerrada.

Me dirigí a las vías vacías; me sentía mareado. Me desperté en el suelo. Lo intenté de nuevo. El mundo se tambaleaba. Vi algo sobre la dura tierra. Me agaché a recogerlo, me mareé y me caí de cabeza. Grité y me desmayé. Cuando abrí los ojos estaba allí mismo. Algo negro y retorcido: su zapato. En el que había visto mi cara. Lo habría reconocido en cualquier parte. Lo recorrí con las yemas de los dedos, sonreí. Lo levanté. Y eché a andar tambaleándome.

Llegué hasta el borde del andén. Me senté con los pies colgando sobre las vías. El timbre era fuerte. Me sentí mareado de nuevo. Cuando desperté, estaba sobre los raíles, con la mano cerrada sobre el zapato.

Las vías trazaban una curva para salir de la estación. Me puse a caminar. Salí de la estación, salí del mundo. Las vías se precipitaron hacia un punto en el cielo.

41

Me encontré con un chico. Estaba tirando piedras en los raíles. Tenía un perro blanco y negro con él. Cuando el perro me vio, vino corriendo hacia mí. Yo tenía miedo, pero el perro meneó la cola y me lamió la herida del brazo.

—¿Quién eres? —preguntó el chico. Llevaba zapatos, iba vestido. Nada de pústulas.

—Misha —respondí—. ¿Tienes agua?

El sol arrancaba destellos en los raíles de acero.

—¿Dónde está tu oreja? —dijo el chico.

—Estación Stawki.

—¿Dónde vas? —dijo.

—A los hornos.

—¿Qué hornos?

—Donde van los trenes.

—¿Por qué vas a los hornos?

—Ahí está Janina —dije—. ¿La conoces?

Él negó con la cabeza.

—¿Conoces a Uri? ¿Conoces al doctor Korczak? ¿Tienes agua?

—¿Te puedo tocar la oreja?

Dije que sí. Estiró la mano. Creo que la tocó, pero yo no sentí nada.

Me miró y preguntó:

—¿Eres judío?

—Sí —contesté. Saqué el brazalete del bolsillo y me lo deslicé en el brazo sano:

—¿Lo ves?

—Sí.

El chico desapareció entre los matorrales con el perro. Volvió con un recipiente lleno de agua. Me la bebí.

Seguí andando.

Día. Noche. Día. Noche.

Comí moras de arbustos espinosos que me recordaban el alambre de espino. Saqué cebollas de la tierra. Bebí de las cunetas; cuando me inclinaba haciendo copa con las manos para recoger el agua, el timbre pulsaba en mis oídos.

Los raíles de acero destellaban al sol; yo temblaba como si fuera invierno. Mi oreja herida no secaba. Me despertaba en los matorrales. Me despertaba en los raíles. Los raíles de acero bailaban ante mí como serpientes plateadas. Estaba en muchos sitios, y no estaba solo. Por allí andaba Bufo, sonriendo, esperándome. Podía oler la menta.

El hombre azul montaba en el tiovivo al ritmo de la música tintineante, de la fanfarria.

Vi cuerpos envueltos en periódicos flotando por encima de las aceras.

Sentí que Uri me golpeaba en la cabeza y me llamaba estúpido.

Vi detenerse el coche de Himmler y a Himmler mismo salir de él, desfilar hacia mí, y saludarme con un taconazo mientras decía: "¡Hanukkah!".

Vi a los huérfanos. Desfilaban por los raíles conducidos por el doctor Korczak. Marchaban y cantaban, sus zapatos golpeaban el suelo al unísono. La puerta del horno se abría y entraban todos en él, con las cabezas altas, marchando y cantando. Todos los días el señor Milgrom me acariciaba el pelo.

Todos los días oía la risa de Kuba.

Todos los días busqué a Janina y todos los días fui incapaz de encontrarla. Me había acostumbrado a su presencia constante, a que remedara todo lo que hacía. Seguí mirando a mi alrededor para verme repetido, pero allí sólo estaba yo.

Un día, cuando abrí los ojos, un hombre se inclinaba sobre mí.

42

El hombre colocó un pie en mi pecho y dijo:

—Eres judío.

—Sí —respondí, señalé mi brazalete y añadí:

—¿Lo ve?

—¿Qué haces aquí?

—Estoy siguiendo el tren. Janina. Voy a los hornos.

—¿Qué hornos?

—Los hornos para los judíos. Soy un sucio hijo de Abraham. Se han olvidado de mí. ¿Puede llevarme a los hornos?

El hombre escupió en los hierbajos y respondió:

—No sé de qué me hablas. No dices más que sandeces. ¿Estás loco?

Esa palabra era nueva para mí:

—No lo sé. Pero soy estúpido. Y pequeño. Y rápido.

Me puso en pie de un tirón.

—Desde luego que eres pequeño.

Me arrancó el brazalete y preguntó:

—¿Qué le ha pasado a tu oreja?

—Uri lo hizo. Intentó matarme. Pero falló.

—Ven conmigo —dijo.

Di un paso y me volví a caer al suelo. Cuando desperté, daba saltos en un carro tirado por un burro. Cuando se detuvo, el hombre me echó sobre su hombro y me dejó caer sobre un montón de heno en un establo. Luego vino la esposa del granjero y me dio agua y una zanahoria para comer. Con trapos y con agua me limpió la oreja herida. Después me ató un trapo en torno a la cabeza que me cubría la oreja y un ojo.

—¿Conoce usted a Uri? —pregunté.

Me ató otro trapo sobre el brazo con costras.

—¿Ha visto a Janina?

Me tocó la frente:

—Estas ardiendo. Y apestas.

La esposa del granjero me metió en una tina de madera y me frotó hasta que chillé. Luego me trajo ropa. Quemó mis viejas prendas. En un bolsillo iba un zapato.

La esposa vino cada día, me limpió la oreja y el brazo, me tocaba la frente y me daba agua, zanahorias y nabos hervidos. Yo dormía en el heno y jugaba con los ratones del establo. Uno era mi favorito. Compartía mis nabos con él. Le llamaba Janina. Le enseñé a correr por mi brazo y a quedarse en mi cabeza. Un gato se lo comió.

Un día me desperté y el timbre había desaparecido. Salí andando del establo y crucé los campos hasta que llegué a las vías. Una mancha blanca metida en un arbusto de espino atrajo mi atención: se trataba del brazalete. Lo recogí y me lo guardé en el bolsillo.

Había andado un buen trecho por los raíles cuando el granjero me detuvo.

—¿Dónde vas? —me preguntó.

—A los hornos.

El granjero me tiró al suelo de una bofetada y volví al carro tirado por el burro con una cuerda alrededor del cuello. Me ató a un poste del establo. Recordaba la historia que Uri me había contado en mis comienzos, la historia de convertirse en esclavo de granjeros. Quizá la historia no fuera inventada del todo. Quizá me estaba poniendo al día con mi vida.

Al cabo de algunos días, la esposa del granjero vino al establo y dijo:

—No debes escapar. Hay una nueva ley. Todos los niños deben trabajar en las granjas.

—¿Y después a los hornos? —pregunté.

—Sí —respondió ella—. Después.

43

Dormía en el establo, comía en el establo, trabajaba en el establo. Cuando no estaba trabajando en el establo, trabajaba en los campos. Cargaba rocas en el carro tirado por el burro, le quitaba bichos a las hortalizas (cuando no me los estaba quitando a mí mismo). Aprendí a ordeñar la vaca. Un día la vaca me coceó. Le dije lo que le había ocurrido a la vaca del gueto. La esposa del granjero -su nombre era Elzbieta- me alimentaba con los cerdos. El retrete de los cerdos era mi retrete.

Todas las noches me ataban al poste del establo. A veces, durante la noche, en lo más remoto de los campos, oía el jadeo de las locomotoras y el traqueteo de las ruedas de acero. Muchas veces le pregunté a Elzbieta, la esposa:

—¿Cuándo terminará la ley? ¿Cuándo podré ir a los hornos?

—Pronto —contestaba siempre—. Pero no debes escaparte; si lo haces, los nazis quemarán la granja y nos echarán a los cerdos para que nos coman.

Así que yo trabajaba y esperaba, y hablaba con el burro y los ratones.

Un día llegó un hombre con un caballo y un carro, le dijo algo al granjero y se marchó. Mas tarde oí que el granjero gritaba en la casa. Esa noche me despertó una voz, la voz de la esposa:

—¡Corre!

La cuerda del tobillo no estaba. Había algo debajo de mi camisa, contra mi piel. Pan. Corrí.

Terminó la guerra. Había pasado tres años en la granja.

Volví a caminar por los raíles. Esta vez tenía compañía. Eran miles los que vagaban por los raíles, por las carreteras, por los campos. No había Botas vigilándonos. Había ferias ambulantes, mercados. Brotaban en descampados cerca de la vía del ferrocarril y al día siguiente desaparecían. La gente vendía cosas.

—¡Zapatos!

—¡Encendedores!

—¡Manzanas!

Cualquier objeto por dinero. Cualquier cosa por comida.

Vi una tienda hecha con sábanas; un hombre gritaba:

—¡Entren! ¡Entren! ¡Vean a Herr Hitler! ¡Pasen sin miedo! ¡Sólo cincuenta *zlotys*!

Yo no tenía ni siquiera un *zloty*. Esperé hasta el momento en que alguien pagaba para entrar, y me deslicé por debajo de una sábana. En el suelo yacía un esqueleto. Le habían metido sus huesudos pies en largas botas negras. Un casco de acero se tragaba la mitad del gesticulante cráneo.

Otro hombre gritaba:

—¡Diez *zlotys*! ¡No darán crédito a sus ojos!

Éste no tenía tienda, solamente un pañuelo. Un cliente pagó. El hombre se puso de espaldas a mí para que no pudiera verlo. Levantó el pañuelo y lo dejó caer. El cliente quería que le devolviera el dinero. Mientras los dos luchaban revolcándose por el suelo, levanté el pañuelo. Era algo que nunca había visto. Algo, que según Ferdi, no existía. Algo que el señor Milgrom había dicho que era como la felicidad: una naranja.

Los charlatanes eran los que más me fascinaban. Me quedaba de pie frente a ellos durante horas mientras vertían incesantes cascadas de palabras sobre la gente que pasaba a su lado, ponderando las maravillas que había bajo sus tiendas o sus pañuelos. Jamás paraban. Nunca se quedaban sin palabras. Cuando por la noche yo estaba tumbado entre los hierbajos o en un establo, susurraba en la oscuridad:

—¡Pasen y vean! ¡No darán crédito a sus ojos!

Soñaba con botas de Botas sin cuerpo que pisoteaban la tierra. Soñaba con vacas ardiendo. Soñaba con el ángel de piedra que bajaba la mirada hacia a mí y me decía:

—No soy nadie.

Caminé por vías y por caminos. Ofrecí mis servicios a granjeros a cambio de comida y un jergón de paja en un establo. Cuando no había trabajo, conseguía mi comida de cualquier sitio de donde pudiese afanarla. Bebía el agua de los cráteres de las bombas.

Me monté en trenes, como muchos otros. Subí en vagones de mercancías, en vagones de madera, en vagones cisterna. Trepé a un millar de trenes. Nunca ninguno me llevó hasta Janina, o a la montaña de dulce.

En algún momento del camino oí la historia de Hansel y Gretel y supe que el final no era verdad, que la bruja no moría en el horno.

Un día me encontré de vuelta en la ciudad de Varsovia. Los cráteres de las bombas habían desaparecido. Todavía había escombros, pero los estaban retirando con camiones y carros. Pensé que había oído una ametralladora. Me metí de un salto en un portal. Era un martillo pilón. Vi gente tirada en callejones. Pero no estaban cubiertos por periódicos. Dormían de verdad.

Encontré el gueto. El muro había desaparecido. Entré en él. Busqué la calle Niska. No pude encontrarla. No pude dar con nuestra casa, ni con el orfanato, ni con Olek ahorcado, ni con la alfombra bajo la que dormíamos. Había escombros y nada más. Hasta las moscas habían desaparecido.

En los trenes había oído lo del motín. Hasta entonces, creía que yo había sido el último en salir dcl gueto. No sabía que todavía quedaban en él cuarenta mil personas. La primavera siguiente, mientras yo cargaba con las piedras del granjero, los judíos se revolvieron contra los Botas con armas robadas y cócteles incendiarios. Pero los Botas eran demasiados, tenían sus tanques y sus lanzallamas, y el motín terminó en mayo. El resto de la gente fue pastoreada al último de los trenes, y en el gueto no quedó nadie.

De pie entre el polvo silencioso, entendí por fin lo que Uri había hecho y de lo que me había salvado. Entendí que el Uri que yo conocía, el auténtico Uri, no era el que los nazis conocían. Sonreí al pensar en él el último día, de nuevo vestido con su ropa, agitando el puño frente a los tanques, con su cabello rojo flameando, visible por fin, atrayendo la atención del mundo sobre él.

Después de abandonar el gueto que ya no estaba allí, me dediqué a vagabundear por las calles de la ciudad. A robar mi comida.

Un día, al acercarme a un grupo que había en una acera, percibí olor a menta. Me detuve, miré a mi alrededor y retrocedí. Examiné las caras. Olí. Allí estaba de nuevo: *menta*. La boca de un hombre se movía, con una franja de verde en los labios. Un hombre harapiento, huesudo. Patillas blancas. Ojos hundidos, andrajos, pies desnudos tan sucios que al principio creí que llevaba zapatos o calcetines. Nada de porra. Nada de panza.

Me planté frente a él. Se detuvo.

—Gordinflón.

Su cabeza no se movió. Sus ojos me recorrieron de arriba abajo. Le tiré de los andrajos:

—*Gordinflón*.

Sus ojos estaban muertos.

—Gordinflón, soy yo. Misha. Janina y yo. ¿Recuerdas?

No oía.

Le sacudí:

—¡Gordinflón! ¡Bufo! Me odias. Quieres matarme. Aquí estoy. Aquí —le cogí una mano y me la puse en la cabeza—, mátame.

La mano se deslizó de mi cabeza y quedo colgando de su costado. Le golpeé en el estómago huesudo.

—¡Gordinflón! ¡Mira!

Saqué de mi bolsillo algo que había estado llevando todo ese tiempo: el brazalete, una vez azul y blanco, ahora casi negro. Me lo coloqué en la manga y dije:

—¡Mira, gordinflón! Soy judío. Tienes que matarme. Mira.

Pero el no miraba. Caminó hacia mí, casi arrollándome, y se alejó cansinamente. Le miré hasta que se perdió entre la multitud. Me quité el brazalete y lo dejé caer en la acera.

44

El mundo volvía a la normalidad, pero para mí no había normalidad a la que volver. Mi normalidad era el pan robado y el agua de cuneta. Poco a poco fui aprendiendo cosas sobre tenedores, dinero, pasta de dientes y retretes.

Al volver del campo, hice lo que sabía hacer mejor: robar. Afanaba todo lo que podía transportar. Me convertí en mi propio burro. Llevaba un carrito y, dondequiera que fuera y allí donde me parara, me transformaba en feriante.

Era tan bueno robando… la gente veía cosas en mi carro que no encontraba en ninguna otra parte. Y era barato. ¿Qué sabía yo de precios? Al final del día mi bolsillo estaba sólo un poco menos vacío que mi carro.

Pero qué importaba. Había descubierto mi voz. Me convertí en un charlatán como los que me habían fascinado:

—¡Oigan! ¡Vendo pan! ¡Manzanas! ¡Zapatos! ¡Cigarrillos! ¡Ropa interior de señora! ¡Pasen y vean! ¡Gangas asombrosas!

Para mí se trataba más de hablar que de vender. Aunque había habido unos cuantos estallidos de palabras antes y después del gueto, hasta el final de la guerra probablemente yo no había dicho más de dos mil palabras en toda mi vida. Ahora nada podía callarme. Si mi carrito estaba vacío, yo seguía parloteando sólo para oírme hablar. Nadaba en palabras. No tenían fin. Podía usar todas las que quisiera. Nunca nadie me perseguía calle abajo gritando:

—¡Alto! ¡Al ladrón! ¡Me ha robado mis palabras!

El tiempo pasaba. Hablé lo bastante, robé lo bastante y vendí lo bastante como para comprar el pasaje en un barco, y me uní a las multitudes que iban a Norteamérica.

El funcionario de inmigración me preguntó:

—¿Cómo te llamas?

—Misha Milgrom —contesté.

—¿Cómo que Misha? —respondió—. Te llamas Jack.

Me convertí en Jack Milgrom.

Aprendí inglés. Seguí hablando. En Norteamérica eso significa que yo era un vendedor. Nadie me contrataba para vender los mejores productos. Mis problemas eran mi talla (había dejado de crecer un poco por encima del metro y medio), mi acento y la oreja que me faltaba, que ahora parecía una pella de coliflor. No les culpaba. ¿Quién iba a franquearle la puerta a un tipejo así? "¡Buenos días, señora! ¿Puedo llamar su atención sobre esta estupenda aspiradora?". Olvídalo.

Entonces tuve mi gran oportunidad. Me contrataron para vender un cortaverduras milagroso en las aceras de Atlantic City, New Jersey. Me dieron una mesa y una pila de pepinos. Las diez en punto de la mañana. Gente reunida a mi alrededor. Empecé describiendo las maravillas del cortador milagroso. Alguien gritó:

—¿Qué hiciste, rebanarte la oreja con él?

Antes de que hubiera llegado al final de mi discurso, la última de las personas se marchaba. Me sentía desesperado:

—¡Esperen! —grité. Mi boca tomó el control—: Hay algo que tengo que decirles. ¡El doctor Korczak tenía razón! *Había una vaca y… ¡ardió como una pavesa!*

La gente se detuvo y se volvió. Pensaban: *¿De qué habla? ¿Qué tiene esto que ver con el cortaverduras milagroso?*

¿A quién le importaba, en tanto que yo siguiera hablando?

—Himmler se parecía a mi tío Shepsel. Y mi tío Shepsel parecía una gallina…

—¿Quieren saber qué sabor tienen las ratas? Las ratas saben como los ratones…

—Te lo voy advertir por última vez: *no* te lleves el caballo del tiovivo…

Les hablé de todo -de todo menos de Janina-, de todo lo que había visto, de todo lo que yo era. Los viandantes venían en ambas direcciones. Algunos se detenían a escuchar. Cortaverduras vendidos: cero. Me despidieron al final del día.

Pero yo había descubierto algo. Al día siguiente volví a la acera. Ni pepinos, ni mesa, ni cortaverduras: sólo yo, de pie cerca de Steel Pier y largando por los codos. Un día tomé el autobús al Oeste, a Filadelfia, para ganar el dinero que me hacía falta para pagar camas baratas en sitios baratos. Repartí propaganda, barrí estaciones de servicio y abrí ostras, pero mi verdadero trabajo era darle a la lengua. Si andabas por las calles de Filadelfia en aquella época, probablemente me oyeras. La calle Quince y Market. Broad y Chestnut. Me oías y volvías la cabeza y, tan pronto como te dabas cuenta de que parloteaba sin sentido, te volvías y seguías andando, susurrándole a tu amigo:

—Otro pirado.

En una esquina encontré a mi esposa: la calle Trece y Market. Un frío día de noviembre. Se detuvo y escuchó. Esto ya era raro, pero es que cinco minutos después seguía allí, lo que resultaba absolutamente insólito. Después se marchó. Pero volvió con un cucurucho de castañas asadas, compradas en un puesto callejero. Me ofreció una. Se llamaba Vivian.

Volvió todos los días. Cada vez se quedaba más tiempo, y siempre me traía castañas calientes.

Se las arregló para sacarme de la calle: almuerzos en Horn y Hardart, paseos por Rittenhouse Square, partidas de cartas en el bajo que hacía las veces de su apartamento.

Yo hablaba y hablaba, contándole mis historias. Vivian se convirtió en mi esquina. Vivian era una personal normal, sensata, pero me da la impresión que en aquella época debió volverse un poco tarumba. Quizá mis palabras la deslumbraron, quizá me viera como un menesteroso refugiado de guerra, o como un artefacto exótico de la historia. En cualquier caso, un día, sin previo aviso, farfulló:

—De acuerdo, me casaré contigo.

Yo pensé: *¿Se lo he pedido?*

El matrimonio duró cinco meses. Vivian descubrió rápidamente que vivir conmigo era muy diferente a jugar a las cartas conmigo. Cuando los niños venían a cantar villancicos en Navidad, les daba con la puerta en las narices. Cuando veía un ejemplar de Hansel y Gretel en el escaparate de una librería, entraba, lo agarraba y lo hacía pedazos. Vivian tenía que pagarlo.

En la ducha, a veces abría el agua fría, pero nunca la soportaba hasta ponerme azul. Afanaba manzanas de los puestos de frutas. Hacía cosas raras en los desfiles. Me reía en los sitios equivocados.

Oía hablar a las moscas:

—¿Te acuerdas de Varsovia? ¡Qué festín! ¡Estábamos tan repletas que no podíamos volar!

Lloraba sin motivo. Por la noche tenía sueños donde aparecían Botas de tamaño colosal con botas negras y lanzallamas.

Finalmente, Vivian se hartó. Cuando se marchaba, me quedé mirando su vientre.

—¿Estás preñada? —pregunté.

—Adiós —respondió.

Cerró la puerta y yo volví a las esquinas.

¿Recuerdas el día en que ibas deprisa con tu maletín o tu bolsa de la compra? ¿Recuerdas que estabas en el aparcamiento? ¿El diminuto tipejo al que le faltaba una oreja que te perseguía incesantemente? Pues era yo, largando día tras día sobre Olek y Uri y Himmler la gallina y Kuba el payaso y los cuervos y las perlas negras y mi piedra amarilla y la comida que volaba por encima del muro y la vaca voladora en llamas y los huérfanos desfilando y cantando y el hombre que fregaba la acera con su barba y la panza de Bufo y la perilla tan mona del doctor Korczak y las señoras muy puestas con guantes blancos y cámaras y Greta la yegua a la que nunca vi… todo era un revoltijo en mi cabeza. Qué jerigonza incomprensible tuvo que haber salido de mi boca.

¿Y tú? Tú eras la cosa que me daba forma.

—Pero no te escuchaba —dices. Ni siquiera te recuerdo.

No te sientas mal. Lo importante no era que tú escucharas, sino que yo hablara. Ahora me doy cuenta. Yo había nacido en la locura. Cuando el mundo entero se volvió loco yo estaba preparado para ello. Y cuando la locura concluyó ¿dónde me quedé? En la esquina de una calle, allí me quedé, moviendo la lengua, desparramándome en todas direcciones. Te necesitaba allí. Eras la botella en la que yo me vertía.

Empecé a moverme, estuve en pueblos cercanos que nunca habían visto un charlatán de esquina. Norristown, Conshohocken, Clenside.

Los años y las palabras pasaron.

Entonces un día, en Filadelfia, a la sombra de City Hall, dos mujeres se detuvieron a escuchar. Parecían tener unos setenta años cada una. Llevaban sombreros anchos que escondían sus caras como pequeñas sombrillas. Después de un rato, una de ellas extendió la mano y cubrió con ella el muñón de mi oreja. Sonrió, asintió y dijo:

—Te hemos oído. Ya basta. Se acabó.

Se alejaron andando, y yo me fui en otra dirección. Nunca me instalé en otra esquina.

Cuando mi hija me encontró, estaba colocando productos en los estantes de un supermercado, el Bag'n Go.

45

HOY

—¡Papabuchas! *¡Papabuchas!*

Los gritos de mi nieta vienen de la otra habitación. Yo me levanto de la mecedora y voy a ver de qué se trata esta vez.

—¡Mírame!

Miro. Cree que está haciendo el pino, pero los dedos de sus playeras rosas no se separan del suelo. Y yo me acuerdo una vez más de la niña cuyo nombre lleva.

Janina.

Estaba apilando latas de sopa en el pasillo número 4 cuando oí la voz detrás de mí.

—¿Señor Milgrom?

Me volví. Era una mujer joven, de pelo castaño oscuro, vestida con una falda azul claro y un chubasquero. Llevaba a una niñita de la mano. La niñita levantó hacia mí sus ojos, grandes y muy abiertos.

—¿Papá? —dijo la joven.

La miré fijamente.

—Soy Katherine. Tu hija. Te he estado buscando desde siempre. Hizo que la niña se pusiera frente a ella y añadió:

—Esta es mi hija, Wendy. Tu nieta.

—Tengo cuatro años —dijo la niñita—. ¿Qué le ha pasado a tu oreja?

—Wendy —reconvino su madre.

Una voz lejana que sólo yo podía oír respondió: *Me dispararon dos veces. Primero un Botas. Luego Uri.*

—¿Sabías que eras mi abuelo?

Yo seguí sin habla.

—Pues sí lo eres —añadió la niña—. Choca esos cinco.

Adelantó la mano, agarró la mía y me dio un gran apretón.

—*Encantá* de conocerte.

Miró a su madre.

—¿No sabías nada de mí, no? —dijo.

—Yo no…

Me aclaré la garganta:

—No estaba seguro.

Su sonrisa era radiante.

—Bien, aquí estoy. Tengo veinticinco años. Madre me contó lo que sé de ti. Desde hace cuatro años, he estado reservando algo para ti.

Yo dudé:

—¿Sí?

—El segundo nombre de Wendy. Lo dejé en blanco. Sabía que algún día daría contigo. Ha estado esperando cuatro años su segundo nombre. Quiero que seas tú quien se lo ponga.

—Janina —respondí.

La risa de mi hija resonó en toda la tienda.

—Creí que te tomarías un minuto por lo menos para pensarlo.

Tomó entre sus manos la cara de su hija y la volvió hacia ella. La miró y afirmó con la cabeza:

—Wendy Janina. Así será.

La niñita empezó a dar palmas y a bailotear.

—¡Wendy Janina! ¡Wendy Janina!

— Vivimos en Elkins Park —dijo Katherine—. Tenemos una habitación de sobra. Puedes tener tu propio baño.

Dejé caer mi delantal en el pasillo 4. Me llevaron a casa.

Wendy Janina intenta mejorar su técnica de hacer el pino. Se empuja con los dedos de los pies un poco demasiado fuerte, lo que manda su cuerpecillo más allá de la posición de equilibrio y la proyecta de espaldas contra el duro suelo. El golpe me hace parpadear. Desde el suelo, sus ojos me buscan. Adelanta un poco el labio inferior. Está decidiendo si llora o no llora. Secretamente, casi espero que lo haga. Me encantaría ser el abuelo que detiene sus lágrimas.

Extiendo los brazos. Se levanta y se acerca a mí. La levanto y la siento en mi regazo. Apoya su cabeza contra mi pecho. No llora, pero es suficiente.

Me gustaría estar así durante un año, o diez, pero ella salta de mi regazo y gorjea:

—¡Afuera!

Me coge de un dedo y me arrastra al porche.

—Me sentaré aquí —me instalo en la mecedora.

—¡Mírame! —dice. Corre hacia el columpio.

Yo miro. Janina se columpia adelante y atrás. El arce que hay detrás de ella es naranja brillante. El año agoniza gloriosamente. Las vainas de los algodoncillos están repletas.

El algodoncillo no cambia de color. El algodoncillo es tan verde en octubre como en julio.

Un día le dije a mi hija Katherine:

—Vamos a dar una vuelta con el coche a las afueras del pueblo.

Me llevé una pequeña azada y un cubo. Mi hija no me preguntó por qué.

Al cabo de un rato dije:

—Para aquí.

Lo saqué de la tierra con la azada y lo deposité en el cubo. Ella me miró y dijo:

—Algodoncillo, claro.

Asentí con la cabeza. No hizo ningún comentario cuando lo planté al final del patio, lejos del arce. Las plantas de los ángeles deben tener sol.

Mi hija no me atosiga con preguntas. Sabe todo lo que le conté a su madre. Eso quiere decir todo, excepto Janina. Todos esos años de hablar, todas esas esquinas... pero me guardé a mi hermana para mí.

Un día Katherine me preguntó:

—¿Me vas a contar alguna vez por qué le pusiste Janina?

—Algún día.

Wendy Janina se cansa finalmente del columpio. O quizá desea montar un rato en la mecedora, mientras yo hago el trabajo. Se deja caer en mi regazo y exclama:

—¡Mécete, mécete, Papabuchas!

Me mezo. Sonrío. Cierro los ojos. Pienso en todas las voces que me han dicho quién he sido, los nombres que he tenido. Me llaman ladrón. Me llaman estúpido. Me llaman gitano. Me llaman judío. Me llaman Jack el de la sola oreja. No me importa. Víctimas de manos vacías me dijeron una vez quién era. Luego Uri. Después un brazalete. Después un funcionario de inmigración. Y ahora esta muchachita en mi regazo. Esta muchachita cuya llamada acalla los zapatazos de los Botas. Su voz será la última. Fui. Ahora soy... Papabuchas.